Fleur heeft het kleinste tentje

Eerder verscheen:
Fleur heeft een dikke papa

www.hanskuyper.nl
www.leopold.nl

Hans Kuyper
Fleur heeft het kleinste tentje

met illustraties van Annet Schaap

LEOPOLD / AMSTERDAM

De tekst die mama zingt op pagina 65 ('Pourtant que la montagne est belle, comment peut-on s'imaginer...') komt uit *La Montagne* van Jean Ferrat. Op pagina 66 zingt papa de vertaling van Friso Wiegersma, onder de titel *Het dorp* onsterfelijk gemaakt door Wim Sonneveld.

Inhoud

Fleur

Het is nog niet echt zomer, maar toch is het al warm. Fleur zit op het balkon tussen al mama's bloemen en kijkt uit over de stad. Heel in verte trilt de lucht. Daar zijn de daken zo heet dat je er een eitje op kunt bakken. Dat zegt papa tenminste.

Er kriebelt iets op Fleurs arm. Het is een beestje, een lieveheersbeestje en het is vijf jaar. Dat kun je zien aan de stippen op zijn rug. Vijf stippen, vijf jaar. Net zo oud als Fleur.

'Kijk,' zegt Fleur. Ze tilt haar arm op.

'Ach,' zegt mama, 'die is er vroeg bij dit jaar. Dat komt door de warmte.'

'En hij zit op Fleurs arm,' zegt papa. 'Lieveheersbeestjes komen altijd op Fleur zitten. En ik weet hoe dat komt.'

'Hoe dan?' vraagt Fleur.

'Omdat je Fleur heet,' zegt papa. 'Dat is Frans voor bloem. De lieveheersbeestjes denken dat je een bloem bent.'

'Wat is Frans?' vraagt Fleur.

'Dat is een taal,' zegt mama. 'Zo spreken ze in Frankrijk. Wij spreken Nederlands omdat we in Nederland wonen. Maar in Frankrijk wonen Fransen en die spreken Frans.'

'En waarom heet ik dan Frans?' vraagt Fleur.

'Je heet geen Frans,' zegt papa. 'Je heet Fleur.'

'Niet zo flauw,' zegt mama. 'We vonden het gewoon een mooie naam. En het paste een beetje bij je. Omdat je in Frankrijk gemaakt bent.'

'Door wie?' vraagt Fleur.

'Door mij,' zegt papa.

'En door mij,' zegt mama boos. 'Door ons samen. Dat weet je toch wel.'

'O ja,' zegt Fleur. 'Vrijen.'

Ze weet er alles van. Mama heeft erover verteld en ook plaatjes laten zien. Vrijen is makkelijk.

'Dus jullie hebben in Frankrijk gevreeën,' zegt Fleur. 'En toen kwam ik.'

'Zo is het,' zegt papa.

'Konden jullie niet in Nederland vrijen?'

'Natuurlijk wel,' zegt papa. 'Dat hebben we ook gedaan, maar toen kwam jij niet.'

'Misschien kwam het omdat het daar zo mooi was,' zegt mama. 'Weet je nog, Jan, die camping aan dat kleine meertje? 's Nachts hoorden we de uilen krassen in de boom naast onze tent. En er waren vleermuizen. We dronken wijn in het licht van de volle maan. En toen zijn we gaan vrijen en daarna hebben we gezwommen.'

'In de nacht?' vraagt Fleur.

'Nee, in het meer,' zegt papa.

'In het meer én in de nacht,' zegt mama. 'Ik voelde allemaal dingen aan mijn tenen.'

'Dat was ik misschien al,' zegt Fleur.

'Vast.' Mama lacht.

Fleur doet haar ogen dicht. Ze probeert het meertje te zien, met de maan erboven. Ze luistert goed of ze uilen hoort. Het lukt een beetje, maar ze hoort toch ook nog de auto's beneden op straat en de radio van de bovenbuurman.

'Ben ik daar wel eens geweest?' vraagt Fleur.

'Nee,' zegt papa. 'Kamperen met een klein kind is niet zo handig, vonden wij. En het is een heel eind rijden met de auto. Daar houd jij niet van.'

Het is waar. Fleur zit niet graag in de auto. Zelfs niet als ze naar oma gaan, en die woont heel dichtbij. Maar ze wil heel graag de plek zien waar ze gemaakt is.

'Gaan we er dan nu naartoe?' vraagt ze.

'Nou, dat weet ik niet,' zegt papa. 'We wilden eigenlijk naar het huisje in het bos. Het huisje van oom Cor, weet je wel. Dat mogen we lenen.'

'Maar dat hóéft niet,' zegt mama. Ze heeft haar boek weggelegd en kijkt Fleur stralend aan.

'Hoe bedoel je?' vraagt papa.

'Ik vind het een heel goed idee van Fleur,' zegt mama. 'Ik wil wel weer eens naar Frankrijk. Fleur is al vijf, dus het kan best.'

Fleur kijkt naar papa. Hij is opgestaan en leunt nu over het balkonhek. Zijn dikke blote buik steekt tussen de spijltjes door.

'Ik vind het ook een goed plan van Fleur,' zegt hij eindelijk. 'Maar ik wil wel even afspreken dat er dan niet gezeurd wordt in de auto, onderweg.'

'Ik zeur niet!' roept Fleur. 'Ik zeur nooit meer!'

Mama trekt Fleur op schoot en knuffelt haar.

'We gaan naar Frankrijk,' zucht ze. 'We gaan kastelen bekijken en croissantjes eten en zwemmen in het meertje.'

'En wijn drinken en vrijen,' zegt Fleur.

'Dat doen wij wel,' zegt papa. 'Hou jij het maar bij kastelen en croissantjes.'

Wie, mersie

'Nou,' zegt papa, 'daar gaat-ie dan.'

Hij zit met de telefoon in zijn hand aan de eettafel. Voor hem ligt een vel papier met allemaal woorden erop. Het zijn Franse woorden en papa heeft ze opgeschreven omdat hij anders niet weet wat hij moet zeggen. Frans is een moeilijke taal.

Papa kiest een nummer en gaat zitten wachten. Zijn vingers spelen zenuwachtig met een hoekje van het papier. Frans is echt een heel moeilijke taal. Maar voorlopig zegt papa nog niets.

'Frankrijk is een groot land,' zegt mama. 'Ze moeten vast een heel eind lopen naar de telefoon.'

'Wie,' zegt papa opeens. 'Bonsjoer, iessie seh Jan Zuidema dollande a lapparij. Seh poer reeservee uun plas. Wie, mersie. Sjattan.'

'Wat zegt-ie nou?' vraagt Fleur.

'Papa praat Frans,' zegt mama. 'Hij zegt dat hij een plaatsje wil bespreken op de camping.'

Fleur houdt haar adem in. Als dat maar goed gaat! Ze verstaat geen woord van wat papa zegt. Hoe moeten ze hem in Frankrijk dan begrijpen?

'Wie, mersie,' zegt papa weer. 'Luh dies swiejéh oo premjee aóét. Wie, mersie.'

'Waar heeft papa dat geleerd?' vraagt Fleur.

'Op school,' zegt mama. 'Knap hè?'

'Niet op mijn school,' zegt Fleur.

'Nee,' zegt mama, 'op de grote school. Jij gaat het ook leren als je ouder bent.'

Papa haalt de telefoon van zijn oor en legt een hand over het mondstuk.

'Stil nou 's even,' zegt hij. 'Ik heb het toch al niet makkelijk.'

Fleur en mama doen hun mond stijf dicht. Papa brengt de telefoon weer naar zijn oor.

'Pardoh,' zegt hij. 'Sesoh ma fam ee ma fieje kie euh, kie euh, fehsèh du brwie. Komman? O, Zuidema. Z U I D E M A, wie. Zwiedema, wie. Wie, mersie.'

'Ik wil het niet leren,' zegt Fleur. 'Ik vind het gek.'

'Wees nou maar even stil,' zegt mama.

Papa zegt een hele tijd niets. Hij schrijft dingen op en knikt alleen maar. Zijn hoofd is rood en zijn haren plakken aan zijn voorhoofd. Frans is een ontzettend moeilijke taal.

'Wie mersie,' zegt papa. 'A bjentoo.'

Hij legt de telefoon op tafel en veegt het zweet van zijn gezicht.

'Geregeld?' vraagt mama.

'Geen idee,' zegt papa. 'Ik hoop het maar.'

Fleur kijkt naar mama. Is alles wel goed?

'Laat je vader maar zeuren,' zegt mama. 'Ik weet zeker dat alles in orde is.'

'Gaan we de auto inpakken?' vraagt Fleur.

'Welnee, malle meid,' zegt mama. 'We gaan nog lang niet weg. Je moet eerst nog gewoon naar school. Als het vakantie is, dan gaan we. Wil je een kopje thee, Jan? Voor de schrik?'

'Wie, mersie,' zegt papa.

'Wat betekent dat?' vraagt Fleur.

'Ja, bedankt,' zegt papa. 'Zo zeggen de Fransen dankjewel. Probeer het zelf maar eens. Het is wel leuk als je een beetje Frans kunt spreken volgende maand.'

'Wie, mersie,' zegt Fleur.

'Heel goed,' zegt papa.

'Wil je een glaasje limonade?' vraagt mama.

'Wie, mersie.'

'Met een koekje erbij?'

'Wie, mersie.'

'En daarna gaan we lekker onder de douche,' zegt papa. 'We plakken van het zweet.'

Daar heeft Fleur helemaal geen zin in.

'Hoe zeg je nee in het Frans?' vraagt ze.

Papa lacht. 'Denk maar niet dat we je dat gaan leren,' zegt hij. 'Dat horen we in Nederland al vaak genoeg van je.'

Inpakken...

Het is nog steeds warm. Fleur weet al bijna niet meer hoe regen eruitziet, of hoe een dikke trui voelt. Maar ze hoeft niet meer naar school. De grote vakantie is begonnen.

Fleur en papa zijn in de bergruimte, helemaal onder in de flat. Daar staan de fietsen en de buggy waar Fleur in zat toen ze klein was. Er liggen ook allemaal dozen en zakken.

Papa zoekt de tent. Hij heeft zijn hoofd in een grote stapel gestoken. Fleur ziet alleen zijn witte benen en het spleetje van zijn billen boven de rand van zijn korte broek.

'Aha!' roept papa. 'Daar zijn we dan. Eén tent. En een kooktoestel, en een waterzak. En een kistje met dingen die je altijd vergeet als je gaat kamperen. Dat is handig.'

Met een rood hoofd komt hij overeind. Hij heeft zijn armen vol spullen.

'We hebben alles bewaard,' zegt hij. 'Goed van ons, hè? Nu de luchtbedden. Voor jou moeten we er nog eentje kopen, Fleur. Jij was de vorige keer niet mee.'

Mama komt binnen.

'Kun je alles vinden?' vraagt ze. 'We kunnen een luchtbed en een slaapzak lenen van de bovenbuurman. Dat scheelt alweer.'

'Mooi,' zegt papa. 'Dan hebben we alles. En nu maar eens zien hoe we het in de auto krijgen.'

Dat lukt dus niet. Er moeten zoveel dingen mee! Als de auto al helemaal vol zit, liggen er toch nog wat zakken op de parkeerplaats. Fleur moet er bijna van huilen.

'Kunnen we nu niet weg?' fluistert ze.

'Natuurlijk wel!' zegt papa. 'De rest gaat gewoon op het dak. Maar dat doe ik pas vlak voordat we weggaan, anders pikken ze onze tent.'

Hij legt de zakken weer in de opbergruimte en sluit de deur goed af. De auto gaat ook op slot.

'Ik heb pizza gemaakt,' zegt mama. 'Dat kan niet op de camping, dus het is een goed afscheidsmaal.'

Fleur moet meteen na het eten naar bed. Papa wil midden in de nacht vertrekken, en het is verstandig als Fleur eerst nog wat slaapt. Verstandig, maar niet leuk. Fleur kan niet slapen. Ze hoort papa en mama door het huis lopen. Ze hoort glazen rinkelen en geknisper van zakken. Af en toe is er ruzie.

'Waarom ga je nou koffiezetten? We kunnen toch onderweg wel even een restaurantje in?'

'Dan moeten we dat weer zoeken. En picknicken langs de weg is veel gezelliger.'

'Maar de tas met proviand is al vol. Dan zit ik de hele weg met zo'n thermoskan tussen m'n benen.'

'Stop hem bij Fleurs speelgoed.'

'Ben jij mal! Dat is nou wel de láátste plek...'

'Nee, de laatste plek is tussen jouw benen.'

'Wie wilde er eigenlijk naar Frankrijk?'

'Fleur.'

'Zoek nou maar een plekje. En heb jij de paspoorten gezien?'

Fleur staat op en loopt naar de kamer. Papa en mama staan bij de tafel. Er ligt een hele berg tassen tussen hen in.

'Ik kan niet slapen,' zegt Fleur.

'Ook dat nog,' zegt papa.

'Wil je iets drinken?' vraagt mama.

Fleur knikt.

'En ik wil dat jullie ophouden met ruziemaken.'

'We maken geen ruzie, scheet,' zegt papa. 'Dit heet voorpret. Het hoort erbij. En we zijn bijna klaar.'

'Gaan we dan weg?' vraagt Fleur.

Papa kijkt mama aan.

'Dat kan eigenlijk best,' zegt hij. 'In de auto valt Fleur zo in slaap. Dan zijn we al ver in Frankrijk voor ze wakker wordt.'

'Ik vind het prima,' zegt mama.

Papa pakt zijn sleutelbos van het haakje en loopt de flat uit. Fleur en mama gaan naar het balkon. Beneden, op straat, staat de auto. Hij ziet er een beetje eenzaam uit in het licht van de lantaarns.

Na een tijdje komt papa naar buiten. Hij heeft een groot rek bij zich dat op het dak van de auto gaat. Papa stapelt het rek vol met koffers en tassen. Daarna legt hij er een oranje zeil overheen. Hij zwaait naar boven.

'Papa is klaar,' zegt mama. 'Kom, wij nemen de laatste spullen mee en we vertrekken.'

'Ik heb mijn pyjama nog aan,' zegt Fleur.

'Natuurlijk,' zegt mama. 'Het is toch ook nacht? Haal Pluim maar uit je bed.'

Fleur moet twee tassen dragen. Eekhoorn Pluim klemt ze onder haar arm. Bij de deur kijkt mama nog even om.

'Niets vergeten?' zegt ze. 'Dag huis, tot over drie weken.'

Mama sluit de deur af en loopt met Fleur naar de lift. Beneden wacht papa. In de auto. In de nacht.

...en wegwezen

Het is vreemd, heel vreemd. Fleur zit in haar pyjama in de auto. Gelukkig zijn er niet veel mensen onderweg in het donker. Niemand kan haar zien. Maar toch trekt ze haar slaapzak op tot aan haar kin. En slapen doet ze niet.

Natuurlijk niet! Deze reis is zo spannend dat Fleur er niets van wil missen! Buiten de auto is de nacht, een nacht vol sterren. En in de auto draait een cd met Franse liedjes. Die klinken mooi, heel anders dan toen papa aan de telefoon zat. Fleur kan haast niet wachten tot ze in Frankrijk is.

'Is het nog ver?' vraagt ze.

'Dat wil jij niet weten!' roept papa. 'We zijn nog niet eens Nederland uit.'

'Nog heel ver, lieverd,' zegt mama. 'Probeer maar een beetje te slapen.'

Ja, misschien is dat toch wel slim. Fleur trekt de slaapzak tot onder haar kin en zoekt met haar handen naar Pluim. Maar die ligt niet op de bank. En ook niet achter haar. En ook niet onder haar billen. En ook niet... Nergens!

'Mama!' roept Fleur.

'Niet zo gillen,' zegt papa. 'Daar schrik ik van.'

'Maar ik ben Pluim kwijt!' zegt Fleur. 'Pluim is niet mee!'

'Hoe kan dat nou,' zegt mama. 'Je had hem nog toen we instapten.'

'Maar hij is weg!'

Papa gromt.

'Rustig maar,' zegt mama. 'Kan je even stoppen, Jan? Dan zoek ik Pluim wel even.'

Papa stuurt de auto een parkeerplaats op. Daar staan allemaal vrachtauto's in het donker. Het zijn net grote slapende beesten.

Mama stapt uit en doet Fleurs deur open. Er waait een koel nachtwindje naar binnen. Mama buigt zich over Fleur heen.

'Waar heb je Pluim het laatst gezien, Fleur?' vraagt ze.

'Thuis,' zegt Fleur zachtjes.

Mama zucht. Ze begint te zoeken in de tassen en dozen die om Fleur heen staan. Dat zijn er veel, want als je naar Frankrijk gaat, moet je van alles meenemen. Er is daar bijna niks.

'Heb je hem al?' vraagt papa.

Je kunt horen dat hij boos is. Fleur voelt zich naar. Misschien kunnen ze nu niet naar Frankrijk, en dan is het haar schuld. Nee, de schuld van Pluim. Pluim verstopt zich altijd. Zo zijn eekhoorns.

'Ik voel iets,' zegt mama.

Ze buigt zich nog dieper over Fleur en rommelt met haar hand op de bodem van de auto. En daar is Pluim, een beetje ver- kreukeld maar toch helemaal zichzelf.

'Hij zat in de tas met de koffie,' zegt mama.

Fleur sluit Pluim in haar armen. Mama doet de deur weer dicht en stapt voorin.

'Rijden maar, directeur,' zegt ze.

Papa start de auto. Ze rijden langs de slapende vrachtauto's en gaan de snelweg op. De lucht is niet meer helemaal zwart, ziet Fleur. Aan de linkerkant wordt hij al een beetje donkerblauw, en daar zijn ook geen sterren meer.

'Straks komt de zon op,' zegt mama. 'Het wordt een mooie dag.'

'En daar is de grens,' zegt papa.

'Waarom zat je nou bij de koffie, Pluim?' fluistert Fleur. 'Je houdt helemaal niet van koffie!'

Pluim zegt niets. Hij legt zijn kopje op Fleurs schouder. Fleur steekt haar duim in haar mond. De Franse liedjes gaan maar door. Papa en mama praten zachtjes met elkaar. Fleur kan hen niet meer verstaan. Dat hoeft ook niet. Ze doet haar ogen dicht...

'België!' zingt papa opeens, keihard. 'Rombompadabombom, België, rommeldebommeldebombom, Bél-gí-je!'

'Zijn we er al?' vraagt Fleur.

Het antwoord hoort ze niet meer. Terwijl de lucht langzaam roze kleurt, valt ze in slaap. En Pluim slaapt ook.

Lekke band

Als Fleur weer wakker wordt, staat de auto stil.

En scheef.

Dat is gek.

Maar het is nog veel gekker dat papa en mama er niet zijn. Fleur is helemaal alleen. De zon staat hoog aan de hemel en overal zijn velden met dik, geel gras erop. Een vogel fluit. Verder is er niets te horen.

Het is heel gek, en het is ook eng. Maar voordat Fleur echt bang kan worden, hoort ze papa. En meteen daarna ook mama.

'Au!' zegt papa.

'O, jongen toch,' zegt mama.

Ze zijn buiten de auto. Maar waar dan?

Fleur gaat wat meer rechtop zitten. Daar is mama, op haar hurken in het korte gras naast de weg. En van papa kan Fleur alleen de bovenkant van zijn hoofd zien.

'Hallo!' roept Fleur. 'Wat doen jullie?'

'Wij zijn lekker op vakantie,' zegt papa.

'En we hebben een lekke band,' zegt mama.

'Is dat erg?' vraagt Fleur.

'Ja,' zegt papa.

'Nee,' zegt mama, 'alleen maar vervelend.'

'Ja,' zegt papa. 'Au!'

Er klinkt wat gerinkel en de auto begint te zakken. Boem, daar staat hij weer met vier wielen op de grond. Papa komt overeind. Zijn handen zijn zwart en er loopt een vieze veeg over zijn wang.

'Goeiemiddag, Fleur,' zegt papa. 'Lekker geslapen?'

Fleur knikt.

'En Pluim ook,' zegt ze. 'Zijn we er al?'

'Nog een paar uur,' zegt papa. 'We zijn best al ver. Maar ik moet nog wel langs een garage. Ik wil die band laten plakken.'

'Daar hebben we tijd genoeg voor,' zegt mama. 'Iets verderop is een dorp. Daar vinden we wel een mannetje.'

Mama helpt Fleur uit haar pyjama. Ze krijgt een korte broek aan en haar lievelingshemdje met de bloemen erop. En dan is het tijd om verder te gaan.

Deze keer gaat mama achter het stuur. Dat is prettig, want mama rijdt minder hard dan papa. Fleur kan rustig uit het raam kijken. De velden blijven maar geel.

'Veel gras hebben ze hier,' zegt Fleur.

'Dat is geen gras,' zegt mama. 'Dat is graan. Daar kun je brood van bakken.'

'Maken ze brood van gras?' vraagt Fleur.

'Van graan,' zegt papa. 'Maar graan is een soort gras, dat is waar.'

'Supergras,' zegt Fleur.

Dan zijn ze in het dorp. Papa leest de naam van een wit bord- je.

'Zienjie luhpuhtie,' zegt hij. 'Mooie naam, vinjenie?'

In het midden van het dorp, tegenover de kerk, staat een benzinepomp met een schuurtje erachter.

'Daar,' zegt papa. 'Een garage.'

Mama parkeert de auto vlak voor het schuurtje. Papa stapt uit. Het schuurtje is dicht en er is ook geen bel.

'Alloo?!' roept papa. 'Alloo?!'

Er komt een grote, zwarte hond om de hoek van het schuur- tje. Hij blaft heel hard en als hij bij papa is, gaat hij grommend voor hem staan. Papa wordt rood. Hij durft zich niet te bewegen.

'Potverdikke,' roept hij. 'Wat moet ik nou?'

'Vraag of hij je band kan plakken,' zegt mama.

Fleur begint te giechelen.

'Hou op,' zegt papa. 'Dit is niet leuk!'

Gelukkig komt er nu ook een meneer aan.

'Teh twah, Pompidoe,' zegt de man.

De hond is meteen stil en loopt weg. Papa veegt zijn voorhoofd af en glimlacht.

'Bonsjoer,' zegt hij. 'Sehluh, uh, sehluh pneu.'

Hij laat de lekke band zien. De meneer grijnst en knikt naar papa. Dan doet hij de schuur open en loopt naar binnen. Papa volgt hem met het wiel.

Wat een rotzooi is het daarbinnen! Fleur ziet overal stukken auto liggen, en achterin staan grote stapels banden tegen de muur. In het midden is een werkbank en daar legt papa het wiel op. De meneer gaat aan het werk. Papa loopt terug naar de auto.

'Leuk hè, zo'n rommeltje,' zegt hij. 'Echt Frans vind ik dat.'

'Helemaal niet,' zegt mama. 'Jouw werkkamer thuis ziet er precies zo uit.'

Ze pakt een tas van de achterbank en deelt broodjes uit. Het is leuk om in de auto te eten. En de zon schijnt en het dorpje ruikt naar bloemen. De meneer is ook al snel klaar met het wiel. Samen met papa maakt hij het weer vast aan de auto. Het reservewiel gaat terug op zijn plek.

Als alles in orde is, trekt papa zijn portemonnee. De meneer grijnst en schudt van nee. Daarna verdwijnt hij weer achter de schuur.

'Krijg nou wat,' zegt papa. 'Gratis en voor niks.'

'Dat is wél echt Frans,' zegt mama lachend. 'En nu snel verder, anders komt die hond terug.'

Zo vlug als zijn dikke buik het toelaat, kruipt papa weer in de auto.

Het Merelmeertje

'We zijn er!' roept mama.

En Fleur was het helemaal vergeten te vragen! Ze was aan het spelen dat Pluim een grote hond was die boeven moest zoeken in de tassen op de achterbank. Ze heeft een hele tijd niet opgelet. En nu staat de auto opeens stil bij een houten hokje met een slagboom ernaast.

Papa en mama stappen uit. Er komt een man uit het hokje, een kleine man met een kaal hoofd en een snor.

'Familie Zwiedema?' vraagt hij.

'Wie,' zegt papa.

'Wie, mersi,' zegt Fleur.

De man lacht. Hij heeft een gouden tand.

'Oe-elkom,' zegt hij. 'Oe-elkom op l'Étang du Merle. Ut Merelmeertje.'

'U spreekt Nederlands!' zegt papa.

'Een beetje maar,' zegt de man. 'Veel Nederlanders ier...'

'Ja, dat weet ik nog,' zegt mama. 'Kom Fleur, papa regelt alles met de meneer, dan kunnen wij vast de camping gaan bekijken.'

'Ze verkopen hier ook ijs,' zegt Fleur.

De kale man lacht weer. Hij loopt het hokje in en komt terug met een waterijsje.

'Cadeau,' zegt hij.

Die man spreekt echt goed Nederlands!

Samen met mama loopt Fleur voorbij de slagboom. Eerst komen ze langs een grote schuur met een pingpongtafel en een biljart erin. En dan zien ze het water van het Merelmeertje.

'Toch nog best groot,' zegt mama. 'Ik dacht dat het veel kleiner was.'

Ze lopen ernaartoe over een breed zandpad. Langs het pad, tussen de bomen, staan tenten en caravans. En auto's, heel veel auto's, en die hebben bijna allemaal een gele nummerplaat. Fleur hoort overal Nederlands spreken. Er is geen plekje meer vrij.

'De camping is vol,' zegt Fleur.

'Nee, dat kan niet,' zegt mama. 'We hebben een plaatsje gereserveerd. Weet je nog wel? Dat heeft papa thuis gedaan, met de telefoon.'

Ja, maar toen was Fleur er ook al niet gerust op. Frans is zo'n moeilijke taal! Misschien is het niet helemaal goed gegaan.

'Die meneer bij het hek wist toch hoe we heten?' zegt mama.

Dat is waar. Fleur haalt opgelucht adem. En meteen ziet ze ook een leeg plekje. Onder een grote boom, vlak bij het zandstrandje. Je kunt er zo uit je tent het meertje in lopen. Het is het mooiste plekje van de hele camping.

'Ik geloof warempel dat we hier zes jaar geleden ook stonden,' zegt mama. 'Ja hoor, dit is hetzelfde plekje. Bij het water. Ik weet het zeker.'

En daar is papa ook, met de auto.

'Goed hè,' zegt hij. 'Dezelfde plaats als toen. Wat vind je ervan, Fleur?'

'Ik vind het mooi,' zegt Fleur. 'En ik wil zwemmen.'

'Dat is een goed idee,' zegt mama. 'Dan kunnen wij ondertussen de tent opzetten.'

Papa doet de kofferbak open en haalt Fleurs tas tevoorschijn. Haar roze bikini ligt bovenop. Binnen een minuut loopt Fleur het water in.

Het is koud en een beetje groenig. Als ze een tijdje stilstaat, komen er kleine visjes om haar tenen zwemmen. Dat is grappig. Als Fleur haar voet beweegt, schieten de visjes alle kanten op. Maar net zo snel zijn ze weer terug.

'Waarom sta jij zo te wiebelen?' vraagt een jongetje.

'Ik speel met de visjes,' zegt Fleur.

'Die visjes kun je eten,' zegt het jongetje. 'Op de barbecue. Helemaal, met kop en al. Dat doet de man naast ons. Die is Frans.'

'O,' zegt Fleur.

Ze tilt haar voet op. De visjes zwemmen weg.

'Hoe heet jij?' vraagt het jongetje.

'Fleur,' zegt Fleur. 'Dat is ook Frans. Het betekent bloem.'

'Dat weet ik,' zegt het jongetje. 'Ik weet heel veel.'

'En hoe heet jij dan?' vraagt Fleur.

'Donald,' zegt het jongetje. 'Dat is Iers en het betekent baas van de hele wereld.'

'Niet waar,' zegt Fleur. 'Het komt uit een tekenfilm en het betekent eend.'

'Dat zegt iedereen altijd,' zegt Donald. 'Ik vind het niet grappig.'

'O,' zegt Fleur.

'Ik kom uit Nieuwegein,' zegt Donald.

Daar weet Fleur niets op te zeggen. Ze weet niet wat Nieuwegein is. Maar het klinkt wel vrolijk. Misschien is het een grapje.

'Is die dikke man je vader?' vraagt Donald.

Fleur kijkt om. Papa is bezig de tent op te zetten. Hij is er half ingekropen, alleen zijn dikke billen zijn te zien. Fleur giechelt.

'Ja,' zegt ze.

'Zullen we vrienden zijn?' vraagt Donald.

Dat lijkt Fleur een heel goed plan.

Hagedisje

'Ik heb al een vriendje,' zegt Fleur, terwijl ze een beker sinaasappelsap omgooit.

Ze zitten met hun drietjes voor de tent. Mama heeft een gebraden kip gehaald en slappe, bleke frietjes. 'Morgen ga ik weer koken,' zei ze. 'Vandaag doen we het lekker makkelijk.' Fleur vindt het best zo. De kip is heerlijk.

'Ja, ik heb jullie gezien,' zegt mama. 'Jan, pak even een doekje.'

'Hij heet Donald en hij komt uit Nieuwegein,' zegt Fleur.

'Dat geeft niks,' zegt papa. 'Er komen ook heel nette mensen uit Nieuwegein.'

'En hij is de baas van de hele wereld,' zegt Fleur.

'Die moet je te vriend houden,' zegt papa. 'Daar heb je wat aan.'

Hij veegt het sinaasappelsap van de tafel. Het is een wiebeltafel van plastic. De stoelen wiebelen ook.

'Na het eten gaan we weer zwemmen,' zegt Fleur.

'Niet meteen,' zegt mama. 'Je moet eerst je eten laten zakken. Anders krijg je kramp in je buik.'

'Wat is kramp?' vraagt Fleur.

'Pijn,' zegt mama. 'Heel erge pijn.'

Dat heeft Fleur nu al een beetje. Ze staat op.

'Ik moet naar de wc,' zegt ze.

Ze kijkt om zich heen. Waar is de wc eigenlijk? Is er een wc in de tent?

'De wc is daar, tussen de bomen,' zegt mama. 'Zie je dat gebouwtje? Daar moet je zijn.'

Het is wel ver! Fleur hoopt maar dat ze het haalt.

'Jan, loop jij even mee,' zegt mama. 'Dan kun je meteen afwassen.'

'Ay ay, kapitein,' zegt papa.

Hij verzamelt alle vieze spullen in een emmer en steekt een hand uit naar Fleur.

'Kom, dame,' zegt hij.

'Vergeet je niet iets?' vraagt mama.

'Wat dan?' vraagt papa.

'Nou, afwasmiddel bijvoorbeeld,' zegt mama. 'En een borstel, een theedoek, wc-papier voor Fleurtje...'

'O ja,' zegt papa. 'Ik was het vergeten. Kamperen is een heel gedoe.'

Met hun handen vol lopen Fleur en papa naar het toiletgebouw. Het is er druk, veel mensen zijn de afwas aan het doen of staan te douchen. Er is nog één wc vrij en als Fleur de deur opendoet, ziet ze waarom. Er is geen pot.

'Papa, deze wc is weg,' roept ze.

Papa komt even kijken.

'Nee, dat hoort zo,' zegt hij. 'Dat is een Franse wc. Je moet op die twee verhoginkjes gaan staan en dan op je hurken boven dat gat gaan zitten. Probeer het maar.'

Papa gaat weer naar zijn vieze borden en Fleur doet de deur van de wc dicht. Voorzichtig gaat ze op de plek staan die papa heeft aangewezen. Er zitten ribbeltjes op, zodat je niet kunt uitglijden. Dan doet ze haar broek naar beneden en zakt door haar knieën.

Moeilijk is dat! Fleur wiebelt heel erg en ze is bang om te vallen. Stel je voor dat ze met haar blote billen op dat vieze gat terechtkomt! Voorzichtig gluurt ze naar beneden. Nee, er komt nog niets. Dat kan ook bijna niet, in die rare houding. En toch moet ze écht heel nodig. Ze voelt het aan haar buik.

Dan beweegt er opeens iets onder haar. Uit het donkere gat komt een kopje tevoorschijn, een klein kopje met felgele oogjes erin. Het is een bruin hagedisje en het blijft rustig op de rand van het gat zitten kijken.

Fleur staat op en trekt haar broek weer aan. Ze is niet bang voor dieren, maar ze gaat er ook niet bovenop poepen. Dat is zielig. Fleur doet de wc-deur open en loopt naar papa. Ze heeft nog steeds pijn in haar buik.

'Is het gelukt?' vraagt papa.

'Nee,' zegt Fleur. 'Er was een hagedisje.'

'Waar, in de wc?' vraagt papa. 'Dat wil ik zien!'

Samen lopen ze terug. Het hagedisje zit er nog steeds, maar als papa dichterbij wil komen, duikt het de pot weer in.

'Leuk huisje,' zegt papa. 'Lekker warm…'

'Ik ga daar niet in poepen,' zegt Fleur.

'Dat begrijp ik,' zegt papa.

'Maar ik moet wél,' zegt Fleur.

Er komt een mevrouw in een badpak aanlopen.

'Daar bij de wasbakken zijn gewone wc's,' zegt ze.

En zo is het. Opgelucht gaat Fleur op de bril zitten. Nu gaat het gemakkelijk en haar buikpijn is heel snel over.

Papa heeft gelijk, denkt Fleur. Kamperen is een heel gedoe.

Nacht

De zon is verdwenen achter de bomen en de eerste sterren fonkelen al recht boven Fleurs hoofd. Papa schenkt zichzelf nog een glaasje wijn in.

'Heerlijk,' zegt hij. 'Frankrijk.'

'Wat denk je ervan, Fleur?' vraagt mama.

Daarmee bedoelt ze dat Fleur naar bed moet. Zo zegt ze dat heel vaak. Maar Fleur heeft nog geen zin.

'Ik denk van niet,' zegt ze.

Papa lacht. 'Het is vakantie,' zegt hij. 'Fleur mag best nog even opblijven.'

'Eventjes dan,' zegt mama.

Er wandelt een man over het zandpad.

'Goedenavond,' zegt papa.

'Bonswaar,' zegt de man terug.

'Oeps, een Fransman,' zegt papa. 'Verkeerd gegokt.'

Nu komt er een mevrouw langs.

'Bonswaar,' zegt papa.

'Goedenavond,' zegt de mevrouw.

Het is een leuk spelletje, maar nu Fleur mee wil gaan doen, komt er de hele tijd niemand langs. In de verte, in de schuur, spelen grote kinderen pingpong. Eigenlijk wil Fleur daar gaan kijken, maar ze denkt niet dat ze dat mag. Het is al zo laat.

'Morgen gaan we ergens heen,' zegt papa.

'We zijn al ergens,' zegt Fleur.

'Nee, ik bedoel dat we iets gaan zien,' zegt papa.

'Ik heb al veel gezien,' zegt Fleur. 'Visjes en Donald en een hagedis...'

Ze kan bijna niet meer praten, zó moe is ze. Mama staat op en ritst de tent open.

'Kom maar, prinsesje,' zegt ze. 'Ik pak je tandenborstel alvast.'

'Moet ik nou weer naar dat toiletgebouw?' vraagt Fleur.

'Ik ben bang van wel,' zegt mama. 'Zo gaat dat als je aan het kamperen bent.'

Samen lopen ze over de stille camping. Fleur doet een plas en poetst haar tanden. Daarna poetst mama ze ook nog een keertje, voor de zekerheid. Zo doen ze dat altijd, maar het is voor het eerst dat ze het buiten doen, onder een afdakje. Dat is wel spannend.

Als Fleur in haar slaapzak ligt, op het wiebelige luchtbed, komt papa nog een verhaaltje vertellen. Een kort verhaaltje is het, over een konijntje dat kan klimmen en een postduif met een mobieltje. Echt zo'n gek verhaaltje zoals papa die altijd verzint. Maar Fleur is te moe om te lachen.

Papa geeft haar een kus en kruipt de tent weer uit. Nu is Fleur alleen onder het oranje doek. Ze hoort hoe papa de wijnglazen nog eens volschenkt. Ze hoort de wind ritselen in de takken van de grote boom. Ze hoort golfjes over het zandstrand rollen. En af en toe hoort ze een grote plons. Dat zijn vast niet de visjes die ze vanmiddag heeft gezien. Verder van de kant zwemmen misschien wel heel grote dieren in het Merelmeertje...

Fleur trekt Pluim wat dichter tegen zich aan en stopt een duim in haar mond. Het is fijn zo, ze ligt lekker warm en ze kan papa en mama horen praten. Die zijn vlakbij. En als ze straks ook gaan slapen, liggen ze naast Fleur in dezelfde tent. Er kan niets gebeuren.

Toch wordt Fleur midden in de nacht opeens wakker. Papa ligt te snurken, zijn dikke buik gaat op en neer. Mama kan ze niet zien, die ligt daar vast ergens achter.

Waarom ben ik nou wakker? denkt Fleur. Is er iets?

Ja, er is iets. Ze ligt niet meer op het luchtbed. Fleur ligt met haar rug op de koude, harde grond. Hoe kan dat nou?

'Mama,' fluistert Fleur. 'Mama, word eens wakker...'

Maar mama hoort haar niet, en Fleur wil papa niet wakker

maken. Die is altijd mopperig als hij 's nachts gestoord wordt.

Voorzichtig komt Fleur overeind. Ze probeert met een grote stap over papa heen te gaan, maar daar is de tent te laag voor en ze stoot haar hoofd tegen het doek. Fleur verliest haar evenwicht en valt om. Boven op papa's buik.

'Oef!' roept papa. 'Waddisdur, waddisdat?'

'Mijn luchtbed is weg,' zegt Fleur.

'O,' moppert papa. 'En toen dacht je: Dan ga ik maar op papa liggen.'

'Nee, ik wou naar mama,' zegt Fleur. 'Maar ik viel.'

'Dat heb ik gemerkt,' zegt papa.

Hij grabbelt naar de zaklantaarn. De hele tent is opeens vol licht. Mama wordt er wakker van. En Fleurs luchtbed is niet weg, maar het is helemaal plat geworden.

'Ik denk dat het lek is,' zegt papa. 'Ik zal het moeten plakken.'

'Duurt dat lang?' vraagt Fleur.

'Veel te lang,' zegt papa. 'Ik ga het morgen wel doen.'

'Maar waar moet ik dan slapen?' vraagt Fleur angstig.

Ze wil niet de hele nacht op de koude grond liggen. En gelukkig hoeft dat ook niet.

'Ik ga wel in de auto liggen,' zegt papa. 'Kruip jij maar lekker naast mama.'

'Hè ja, gezellig,' zegt mama slaperig.

Papa kruipt in zijn onderbroek de tent uit. Hij neemt Fleurs slaapzak mee.

'Tot morgen,' zegt hij.

Maar Fleur hoort hem niet meer. Dicht tegen mama aan is ze alweer in slaap gevallen.

Heer Edmund

'Nou,' zegt papa. 'Nou hebben we al heel veel Franse dingen gedaan, maar eentje nog niet.'

'Wat dan?' vraagt Fleur.

Ze smeert een dikke klodder jam op haar croissant. Het is nog vroeg, maar de zon is al warm. Mama schenkt een plastic beker vol thee.

'We hebben gezwommen in het meer,' zegt papa. 'En we eten croissantjes...'

'En gisteravond ben jij al flink aan de wijn geweest,' zegt mama.

'Dus wat blijft er over?' vraagt papa.

'Vrijen!' roept Fleur.

'Nee,' zegt papa, 'ik dacht eigenlijk aan de kastelen.'

O ja, kastelen horen er ook bij. Frankrijk staat helemaal vol met kastelen. Papa laat het zien op de kaart.

'Kijk, hier is de camping,' zegt hij. 'En hier is al een kasteel. *Moncoronet*. Daar rijden we in een halfuurtje naartoe. Is dat een idee?'

'Ik maak een picknickmand,' zegt mama.

Donald komt aanlopen over het pad. Hij heeft zijn zwembroek aan en in zijn handen draagt hij een grote opblaaseend.

Twee Donalds, denkt Fleur. Maar ze zegt het niet.

'Kom je mee naar het meer?' vraagt Donald.

'We gaan naar een kasteel,' zegt Fleur. 'Monkonkel heet het.'

'Dat ken ik,' zegt Donald. 'Daar ben ik al geweest. Het is stuk.'

Fleur schrikt. Het kasteel is stuk! Weet papa dat wel?

'Niet stuk,' zegt mama. 'Het is een ruïne. Maar dat is ook heel mooi.'

'Ik vond er niks aan,' zegt Donald. 'Kom je zwemmen?'

'We zijn vanmiddag weer terug,' zegt mama. 'Vanmiddag komt Fleur weer zwemmen, toch, Fleur?'

Fleur knikt. 'Vanmiddag,' zegt ze.

'Goed dan,' zegt Donald. 'Dag.'

Hij loopt langs de tent en gaat meteen het water in. Dat ziet er best lekker uit... Maar Fleur moet mama helpen met de plakjes kaas en tomaat. En daarna moet ze water halen voor de koffie. Die gaat mee in de thermosfles. En dan kunnen ze eindelijk op weg naar het stukke kasteel.

'Wat is een rawine eigenlijk?' vraagt Fleur.

'Ruïne,' zegt mama. 'Dat zeg je van een oud gebouw als het niet meer helemaal heel is. Misschien is het dak ingestort, of een paar muren. Dat heet dan een ruïne.'

'Waarom maken ze dat huis dan niet?' vraagt Fleur.

'Omdat dat veel geld kost,' zegt papa. 'En een ruïne kan ook gewoon heel mooi zijn. Er zijn zelfs mensen geweest die ruïnes lieten bouwen, een huis dat meteen al stuk was. Dat zetten ze dan in hun tuin. Dat vonden ze mooi staan.'

'Maar het is niet fijn om erin te wonen,' zegt Fleur. 'Zonder dak.'

'Alleen sukkels willen zo wonen,' zegt papa. 'Heer Edmund bijvoorbeeld.'

Fleur spitst haar oren. Aan papa's stem hoort ze dat er een verhaaltje komt.

'Heer Edmund was absoluut de domste ridder die ooit heeft geleefd,' zegt papa. 'Hij ging bijvoorbeeld een dagje uit rijden met zijn paard. Dat horen ridders te doen. Maar hij hield het niet zo heel lang vol. Een paar meter buiten de poort van zijn ruïne stopte hij al. "Ik snap niet hoe andere ridders dat voor elkaar krijgen," zei hij. "Die beesten zijn veel te zwaar." En hij zette zijn paard weer op de grond.'

Papa moet zelf hard lachen en mama giechelt ook, maar Fleur snapt de grap niet helemaal.

'In plaats van op zijn paard te gaan zitten, liet hij het paard op hém zitten,' zegt papa. 'Begrijp je wel?'

Ja, nu snapt Fleur het wel. Wat een ongelooflijk domme ridder!

'Wat deed hij nog meer?' vraagt ze.

'Dat vertel ik als we bij zijn huis zijn,' zegt papa. 'Kijk, daar staat het. Op die heuvel. Moncoronet.'

Fleur ziet een groene heuvel met wat oude bomen erop en hoge muren van grote, bruine steen. Die zien er stevig genoeg uit en helemaal niet stuk.

Papa parkeert de auto op een grasveldje. Er staan maar twee andere auto's.

'Helemaal niet druk,' zegt mama. 'Lekker.'

'Natuurlijk is het niet druk,' zegt papa. 'Wie wil er nou op bezoek bij zo'n sukkel als Heer Edmund?'

Rotridders

De poort van het kasteel is ook niet stuk. Er zit een mevrouw achter een luikje. Ze verkoopt kaartjes en Fleur krijgt een papier met een speurtocht. Als ze die goed doet, krijgt ze een plastic riddertje, legt mama uit. Het is een heel klein riddertje, maar het heeft wel een grappig hoofd. Fleur besluit haar best te gaan doen.

Mama leest de vragen voor.

'Boven de poort zit een gat in de muur,' leest ze. 'Waar denk je dat dat gat voor diende?'

'Dat was Heer Edmunds wc!' roept papa. 'Lekker naar buiten poepen, op de ophaalbrug! Erg handig als er vervelend bezoek voor de poort staat.'

Fleur giechelt. Ze kijkt naar het gat. Zou het echt zo zijn?

Mama heeft een koperen bordje gevonden, aan de muur. Ze leest wat erop geschreven staat.

'Het was voor kokende olie,' zegt ze. 'Als de vijand door de poort wilde komen, gooiden ze door dat gat kokende olie op hun hoofd.'

'Had ik het toch een beetje goed,' zegt papa.

Fleur vindt het een naar idee. 'Deden ze dat echt?' vraagt ze.

'Andere tijden, andere gewoontes,' zegt papa. 'We zullen nog wel meer gekke dingen te horen krijgen.'

'Loop door de poort naar de binnenplaats,' leest mama. 'In de hoek is een heel diepe put met een ijzeren rooster erover. Waar diende die put voor?'

'Een put is een put,' zegt papa. 'Daar zit water in.'

Maar in deze put niet! Hij is echt heel diep en op de bodem is een soort kamertje gemetseld. Fleur durft niet op het rooster te gaan staan, hoe stevig het er ook uitziet. Papa blijft er ook vanaf. Heel verstandig, met die dikke buik van hem.

'Dit is natuurlijk de slaapkamer van Heer Edmund,' zegt papa. 'Hij wilde altijd heel diep slapen.'

'Of hij snurkte zo hard dat ze hem onder de grond hebben gestopt,' zegt mama. 'Dat zou ik met jou soms ook wel willen…'

'Het is geen slaapkamer,' zegt Fleur. 'Want er is geen trap. Je kunt er nooit meer uit, als je daar zit.'

'En dat is ook het antwoord,' zegt mama, die alweer bij een bordje staat. 'Het is een gevangenis. Een gevangenis voor mensen die er nooit meer uit mochten. Ze werden erin gegooid en vergeten. Daarom heet zo'n put een *oubliëtte*. Een vergeterij, zeg maar.'

'Dat deden ze niet!' roept Fleur.

Ze durft niet meer in de put te kijken. Misschien ligt er nog wel iemand op de bodem…

'Niet zo aardig,' zegt mama. 'Kom, we moeten naar de andere kant van de binnenplaats. Daar is de wapenkamer.'

De wapenkamer is een grote ruimte waar nog een dak op zit. Er branden lampen en in glazen kasten staan allemaal zwaarden en schilden. Fleur ziet zware, ijzeren ballen met stekels eraan.

'Jeu de boules,' zegt papa. 'Weet je wel, Fleur? Dat spelletje met die grote ballen waarmee je op een klein balletje moet mikken. Daar zijn ze dol op in Frankrijk. Heer Edmund speelde het ook al. Met die ijzeren dingen daar.'

'Maar er zitten prikkers aan,' zegt Fleur.

'Om het lastig te maken,' zegt papa. 'En zie je die schilden? Daar kropen de anderen onder weg, als Heer Edmund ging jeu de boulen.'

'Erg leuk,' zegt mama. 'Maar het is een morgenster.'

'Staat dat op een bordje?' vraagt Fleur.

'Nee, dat weet ik,' zegt mama. 'Zo'n bol met stekels hoort aan een ketting, en dan kan je er iemand mee op zijn hoofd slaan. Het is een wapen.'

Fleur kijkt naar de morgenster en huivert. Stel je voor dat je zo'n ding op je hoofd krijgt! Ze heeft wel eens een stukje boomstam op haar hoofd gekregen. Dat was toen oom Cor hout ging hakken voor in de open haard. Het deed gemeen pijn, en daar zaten nog niet eens stekels aan.

'Ik vind die ridders naar,' zegt Fleur. 'Rotridders.'

'Ja, het waren geen lieverdjes,' zegt papa. 'Behalve Heer Edmund. Die was te dom om naar te kunnen zijn. Hij wilde wel, hoor. Hij wilde graag net zo rot doen als de anderen. Maar dan brak zijn morgenster weer in tweeën, of de olie werd niet heet, of hij kon zijn gevangene maar niet vergeten. Hij wilde woest en gemeen zijn, maar hij bleef een sukkel.'

'Gelukkig maar,' zei mama.

'Ik wil niet meer,' zegt Fleur. 'En ik hoef dat riddertje ook niet.'

Maar ze krijgt het toch. En de mevrouw achter het luikje

glimlacht zo lief, dat Fleur niet durft te weigeren.

'Laat eens zien,' zegt papa.

Fleur geeft hem het plastic riddertje. Papa bekijkt het aandachtig.

'Het is Heer Edmund,' zegt hij. 'Nu zie ik het pas. Die neus! Duidelijk Heer Edmund.'

Hij geeft Fleur het riddertje terug en ze laat het in haar broekzak glijden. Ja, denkt ze, het is Heer Edmund. Ik heb liever een sukkel in mijn zak dan een gemene woesteling.

En dan gaan ze picknicken, buiten het kasteel. Op een heel lief plekje in de zon.

Leven en dood

'Papa, kom je ook zwemmen?' vraagt Fleur.

'Straks,' zegt papa. 'Ga jij maar vast. Ik moet je luchtbed nog plakken.'

'Ik kom wel even,' zegt mama.

Ze verdwijnt in de tent om haar bikini aan te trekken. Dat valt nog niet mee, want de tent is klein. Fleur ziet allemaal stukjes mama tegen het tentzeil drukken. Het is leuk om te raden wat die bobbels zijn. Een hoofd, en een elleboog. Billen. Weer een hoofd. Een knie. En ten slotte mama helemaal: op handen en voeten kruipt ze weer naar buiten.

'Het is toch wel een heel klein tentje,' zegt ze mopperig.

'Vorige keer vond je dat romantisch,' zegt papa.

'Vorige keer waren we pas getrouwd,' zegt mama. 'En jij was zo'n honderd kilo lichter.'

'Niet overdrijven,' zegt papa. 'Het is pas zes jaar geleden.'

Hij trekt Fleurs luchtbed uit de tent en begint het op te blazen. Fleur en mama lopen het Merelmeertje in.

'Als je stilstaat, komen er kleine visjes,' zegt Fleur. 'Die kriebelen aan je tenen.'

'Ja,' zegt mama. 'Dat weet ik nog. Ze eten je op.'

Daar moet Fleur om lachen.

'Dat kan helemaal niet!' zegt ze. 'Daar zijn ze veel te klein voor.'

'Toch is het zo,' zegt mama. 'Ze eten kleine stukjes van je, die je toch niet meer nodig hebt. Dode stukjes van je huid.'

'Heb ik dode stukjes?' vraagt Fleur verbaasd.

Het is niet echt een leuk idee dat er stukjes van haar al dood zijn. Ze is nog helemaal niet oud!

Maar mama knikt toch. 'Elke dag komen er nieuwe stukjes

huid bij,' zegt ze. 'En de oude gaan dood. Daar merk je niks van, het is normaal.'

Fleur kijkt naar haar vingers. Ze ziet niets bijzonders, haar vingers zien er heel levend uit.

'Ik zie niks,' zegt ze.

'Dat kan ook niet,' zegt mama. 'Weet je waar je het kunt zien? Thuis, in de stofzuiger. Die vieze, grijze vlokken. Dat zijn klontjes dode huid.'

Fleur kijkt naar de visjes rond haar tenen. Die eten nu dus van die vieze, grijze vlokken uit de stofzuigerzak. En de Fransen vangen die visjes en leggen ze op de barbecue. Smakelijk eten, denkt Fleur. Gebakken stofzuigerzak.

Er klinkt een luid geplons naast haar. Fleur kijkt op. Daar staat papa, in zijn zwembroek met de ruitjes.

'Zo!' roept hij vrolijk. 'Ik ga eens een stevig eindje zwemmen. Aan de kant!'

Papa rent tot zijn middel het water in en duikt dan voorover. Met grote slagen zwemt hij het meer op. Dat kan hij toch wel snel, dikke buik of niet.

'Papa kan goed zwemmen,' zegt Fleur.

'Hij is kampioen geweest,' zegt mama. 'Niet van de wereld, maar wel van de stad. En dat is ook knap.'

'Echt?' vraagt Fleur.

'Vraag maar aan hem,' zegt mama. 'Hij vertelt het graag.'

Fleur hoopt dat Donald komt. Ze heeft hem heel veel te vertellen vanmiddag. Over stofzuigerzakken en zwemkampioenen. Ze draait zich om, maar Donald is nog niet op het strand. En dus kijkt ze weer naar papa.

Papa is midden op het meer en nu komt hij terug. Het lijkt wel of hij nog veel harder gaat dan eerst. Zijn dikke armen draaien zo snel als molenwieken door het water.

'Hij lijkt wel bang,' zegt mama. 'Wat zou er aan de hand zijn?'

Papa geeft zelf het antwoord.

'Slang!' roept hij. 'Er zwemt hier een slang!'

Mama trekt Fleur het water uit. Papa is bijna bij de kant. Hij staat op en plast naar het strand toe.

'Daar!' zegt hij. 'Daar zwemt dat beest.'

Fleur ziet iets kronkelen in het water. Het is net een levend takje, zwart met wat wit. Kan een slang zwemmen?

'Hij bleef gewoon naast me,' zegt papa. 'Hij was helemaal niet bang!'

'Maar jij wel,' zegt mama.

'Ja, natuurlijk!' zegt papa. 'Die beesten kunnen bijten! Daar kun je dood van gaan!'

'Wat voor slang is het dan?' vraagt mama.

'Weet ik veel, er hing geen koperen bordje aan,' zegt papa bozig.

Een Franse meneer loopt het meertje in. Recht op de slang af! Met zijn hand vist hij het dier uit het water en gooit het tussen de struiken op de oever, waar geen mensen zijn.

'Zo'n soort slang dus,' zegt mama. 'Een slang van niks.'

Papa moppert wat. Fleur vindt hem zielig. Zij zou ook bang zijn geweest. Want ze is niet bang voor dieren, maar wel voor slangen. En haaien.

'Papa, was jij vroeger zwemkampioen?' vraagt ze.

'Dat weet je zeker van mama,' zegt papa. 'Ja, het is waar. Kampioen van Zaanstad bij de jongens onder de zestien. Ik kreeg een beker en een foto in de krant. Ja, dat waren tijden!'

Hij is weer helemaal vrolijk. En dat was precies Fleurs bedoeling.

Papa verdient een ijsje

'Er is hier ook een pretpark,' zegt papa. 'Dat zei die man bij de receptie. Het is wel een eindje rijden, maar het is heel leuk. Er is een dierentuin bij.'

'Ja!' roept Fleur.

Ze is dol op de dierentuin. Dat komt natuurlijk doordat ze zoveel van dieren houdt. Dan is de dierentuin een goede plek om heen te gaan. Daar stikt het ervan.

'Lepal,' zegt papa.

'Voor de koffie of de yoghurt?' vraagt mama.

Papa kijkt haar verbaasd aan.

'Waar heb jij het over?'

'Die lepel,' zegt mama. 'Wil je een lepel voor de koffie of voor de yoghurt?'

'Ik heb helemaal geen yoghurt,' zegt papa. 'En voor de koffie heb ik geen lepel nodig. Wat bazel je nou over een lepel?'

'Dat zei je!' roept Fleur. 'Je zei lepel!'

Papa's mond klapt dicht. Hij denkt na. Dan begint hij te lachen.

'Le Pal,' zegt hij. 'Ik zei niet lepel, maar Le Pal. Zo heet het pretpark. Le Pal.'

'Wat een gekke naam,' zegt Fleur.

'Hoe lang is een eindje rijden?' vraagt mama.

'Meer dan een uur,' zegt papa. 'Over de snelweg.'

Maar als ze in de auto zitten, is de snelweg dicht. Er zijn mannen in oranje pakken bezig met grote, rokende machines. Mama moet de gele bordjes volgen en zo rijden ze wel meer dan twee uur door de heuvels. Het is niet erg, er is heel veel te zien. Velden vol met zonnebloemen bijvoorbeeld, en kastelen op de heuvels. Dorpjes met een markt en rivieren die glinsteren in de zon.

'Wat is het hier toch prachtig,' zegt mama steeds opnieuw.

En dan zijn ze er. De auto komt op een enorme parkeerplaats waar het al heel vol is.

'Het ziet er druk uit,' zegt papa.

'Het is vast een heel groot park,' zegt mama. 'Plaats genoeg.'

'Daar is de ingang!' roept Fleur.

In de verte staat een lange rij mensen. Geduldig wachten ze tot ze naar binnen mogen. En vanaf de parkeerplaats komen er nog veel meer mensen bij.

'O, hemel,' zegt papa. 'Ik weet niet of ik dit leuk vind.'

Fleur schrikt. Papa gaat toch wel mee? Hij wil toch niet terug? Ze hebben zo lang in de auto gezeten!

Mama denkt er gelukkig precies hetzelfde over.

'Niet zeuren, Jan,' zegt ze streng. 'We zijn er, en we gaan erin.'

'Ja, natuurlijk,' zegt papa.

Achter in de rij sluiten ze aan. Eigenlijk gaat het best snel. Fleur en mama hebben nog maar een paar liedjes gezongen als

ze al aan de beurt zijn. Papa wist het zweet van zijn voorhoofd en koopt de kaartjes.

'Mijn hemel,' zegt hij alweer als hij het geld op de toonbank legt.

En dan kunnen ze het park in.

Er is een baantje met houten paardjes waarop je door een soort bos kan rijden. Maar daar staan erg veel kinderen te wachten.

Er is een ding dat over de kop gaat. Daar is het ook heel druk.

Fleur ziet een treintje waar nog wel plek in is, maar het rijdt net weg.

De terrassen zitten vol.

'O, mijn hemel,' zucht papa nog maar eens.

'Laten we naar de dierentuin gaan,' zegt mama.

Dat is een goed idee. In de dierentuin is het rustig. Eigenlijk een beetje té rustig. Want er zijn gelukkig weinig mensen, maar de dieren laten zich ook niet zien. Fleur ziet alleen een slapende uil en de staart van een wolf, die achter een bosje vandaan steekt. Alle andere dieren hebben zich verstopt.

'O...' begint papa.

'Als je nou weer over die hemel begint, krijg je geen ijsje,' zegt mama.

Papa houdt zijn mond.

En dan is er opeens, midden in de dierentuin, een vijver met trapbootjes. Heel veel gele trapbootjes, en er zijn er maar twee bezet. Een meneer helpt Fleur instappen. Mama gaat met haar mee.

Papa moet alleen in een bootje zitten. Het hangt helemaal achterover in het water. Daardoor lijkt het alsof papa heel snel vaart, terwijl dat niet zo is. Hij gaat juist heel langzaam. Fleur en mama doen het veel beter. Ze trappen zo hard ze kunnen. Twee keer gaan ze de vijver rond, en dan is papa pas op de helft.

'Kom op, bolle!' roept mama. 'Een beetje sportief!'

Papa gaat wat meer rechtop zitten. Met een rood hoofd draait hij de trappers rond. Zijn bootje gaat steeds sneller.

'Goed zo, papa!' gilt Fleur. 'Nog harder!'

Papa probeert het wel, maar zijn voet schiet uit. Opeens hangt hij vreemd scheef op zijn stoeltje. Het bootje ligt ook scheef. Heel scheef. Té scheef… Het bootje kiept om. En papa verdwijnt met maaiende armen in het water.

Fleur slaat van schrik een hand voor haar mond. Maar mama moet heel hard lachen.

'Zaans zwemkampioen!' roept ze.

Papa komt overeind. Druipend staat hij in het midden van de vijver. Het water komt nog niet eens tot zijn knieën. Hij pakt het bootje vast en trekt het terug naar de meneer. Fleur en mama komen daar ook net aan.

'Ik zeg niks,' zegt papa. 'Dus ik mag een ijsje.'

Ze mogen allemaal een ijsje.

Ruzie

'Mijn vader is in het water gevallen,' zegt Fleur. 'In de dieren-tuin.'

'Mijn vader zit in de gemeenteraad van Nieuwegein,' zegt Donald.

Fleur begrijpt er niks van. Wat is een gemeenteraad? En wat heeft dat te maken met haar verhaal? Ze besluit maar gewoon door te vertellen.

'We gingen in trapbootjes, en mijn vader viel eruit,' zegt ze.

'Mijn moeder is een keer in de heg gevallen,' zegt Donald. 'Met de elektrische heggenschaar. Bijna een vinger eraf.'

Wat is dat nou? Donald luistert helemaal niet naar Fleurs ver-haal! Hij wil alleen maar zélf dingen vertellen!

'Nou en?!' roept Fleur boos.

'Dat is heel erg hoor,' zegt Donald. 'Een vinger eraf is heel erg.'

'Nou,' gilt Fleur, 'in de vijver van de trapbootjes zaten toeval-lig wel krokodillen. En die hebben een been opgegeten. Van mijn vader. Dat is ook erg.'

Ze kijkt snel om zich heen of papa ergens in de buurt is. Als hij nu komt aanlopen, ziet Donald meteen dat er nog gewoon twee benen aan hem zitten... Maar gelukkig is papa nergens te zien.

'Mijn moeder heeft een keer...' begint Donald.

'En zijn hoofd!' krijst Fleur. 'Dat is er ook af, en allebei zijn armen. Die krokodillen hebben hem helemaal opgegeten!'

Ze hijgt ervan, zó boos is ze. Mama komt het strandje op lopen.

'Wat is er allemaal aan de hand?' vraagt ze.

'Dag mevrouw,' zegt Donald. 'Wat erg, van uw man.'

'Hoe bedoel je?' vraagt mama verbaasd.

'Misschien kwam het omdat hij zo dik is,' zegt Donald. 'Dat vinden krokodillen extra lekker natuurlijk.'

Mama kijkt naar Fleur.

'Wat heb je verteld?' vraagt ze.

Fleur voelt dat ze een rood hoofd krijgt. Ze draait zich om en rent naar de tent. Daar gaat ze op haar luchtbed liggen, met haar slaapzak over zich heen en de rits dicht.

Mama klopt op het tentdoek.

'Fleur,' zegt ze, 'mag ik binnenkomen?'

Fleur zegt niks terug. Alles is stom. Donald is stom, en zijn vader en moeder, en de heggenschaar en de gemeenteraad van Nieuwegein ook. Zelfs mama is stom.

'Ben je boos, Fleur?' vraagt mama.

Ja, Fleur is boos. Op de heggenschaar en de gemeenteraad...
Maar niet op mama.

'Ja,' zegt ze.

Mama doet de rits open en kruipt de tent in. Ze gaat naast Fleur zitten. Het luchtbed wiebelt een beetje.

'Wat is er gebeurd?' vraagt mama.

'Donald wou helemaal niet luisteren,' zegt Fleur. 'Ik vertelde van de bootjes en van papa, en toen ging hij vertellen van zijn papa, en van zijn mama. Hij luisterde niet naar mij. Hij weet het altijd beter.'

'Tja,' zegt mama. 'Zulke mensen bestaan. Je kunt er niets tegen doen.'

'Ik vind het niet leuk,' zegt Fleur.

'Maar wat zei hij nou over papa?' vraagt mama. 'Met die kro-kodillen?'

Fleur begint te giechelen.

'Ik zei dat papa was opgegeten,' zegt ze. 'Dat er allemaal kro-kodillen in die bootjesvijver zaten.'

Mama lacht.

'Gelukkig is dat niet waar,' zegt ze. 'Arme krokodillen... Ze hadden vast buikpijn gekregen. Net als jij altijd, als je te veel gegeten hebt.'

'Waar is papa eigenlijk?' vraagt Fleur.

'Die is even naar het stadje,' zegt mama. 'Voor een verrassing.'

'Wat voor verrassing?' vraagt Fleur.

'Dat zeg ik niet,' zegt mama. 'Dan is het geen verrassing meer.'

Dat is waar, denkt Fleur. Maar het is ook vervelend. Want nu is ze heel erg benieuwd geworden.

'Hoe lang moet ik nog wachten?' vraagt ze.

'Niet zo lang,' zegt mama. 'Ga maar met Donald spelen.'

'Wil ik niet,' zegt Fleur. 'Nooit meer.'

'Je moet hem gewoon niks vertellen,' zegt mama. 'Gewoon, lekker zwemmen. En als hij weer begint op te scheppen, houd je je hoofd maar onder water. Dan hoor je niks.'

Dat is een goed plan! Fleur gaat de tent uit en loopt het strandje op. Daar zit Donald, op het zand, en hij speelt met zijn dino's. Als hij Fleur ziet, houdt hij er eentje omhoog.

'Dit is een velociraptor,' zegt hij. 'Wist je dat?'

'Ja hoor,' zegt Fleur. 'En die zit zeker ook in de gemeenteraad van Nieuwegein?'

Donald lacht. 'Kom je zwemmen?' vraagt hij.

En dat gaan ze doen.

Het kleinste tentje

'Tatarataaa!' roept papa.

Hij buigt zich over de kofferbak van de auto en haalt een kleine, groene zak tevoorschijn.

'Driemaal raden, Fleur,' zegt hij.

'Chips,' zegt Fleur.

'Fout!' lacht papa.

Fleur denkt na.

'Andere chips,' zegt ze dan.

'Het is niet om te eten,' zegt papa.

'Computerchips,' zegt mama.

Dat begrijpt Fleur niet, maar niemand wil het uitleggen. Papa maakt de zak open. Er vallen een paar ijzeren buizen uit en nog een zak. Ook groen.

'Een zak,' zegt Fleur.

'Bijna goed,' zegt papa. 'Het is een tent. Jouw eigen tent.'

'Maar...' begint Fleur.

'Want het is toch een beetje krap,' zegt papa. 'Onze tent is niet echt bedoeld voor drie personen. Vroeger konden we er prima in slapen, maar nu jij er bent...'

'Nou, het ligt niet aan Fleur, dacht ik,' zegt mama, terwijl ze op papa's bolle buik tikt.

'Hoe dan ook,' zegt papa. 'Het is toch leuk, je eigen tent?'

Ja, het is leuk. Het is ook leuk om te zien hoe papa de tent opzet. Dat ging al niet makkelijk met de grote tent, maar nu moet hij zich bijna dubbelvouwen om de stokken erin te krijgen. Het lukt gelukkig wel.

Nu staan er twee tenten, naast elkaar. Een grote en een kleine.

'Mamatent en babytentje,' zegt Fleur.

'Waarom geen papatent?' vraagt papa die het zweet van zijn voorhoofd staat te vegen.

'De auto is de papa,' zegt Fleur.

Dat klopt, want daar heeft papa de eerste nacht in geslapen.

'Ga er maar eens in, Fleur,' zegt papa.

Fleur kruipt haar tent binnen. Hij is echt klein, ze kan niet eens op haar knieën zitten. Maar hij is lang genoeg voor een luchtbed en Pluim past er makkelijk bij. Het is gezellig.

'Nu heeft onze prinses haar eigen kasteel,' zegt mama.

Fleur komt weer naar buiten. Ze wil Donald vertellen dat ze nu een eigen tent heeft. Misschien gaat hij dan vertellen dat zijn vader twee eigen tenten heeft, maar dat geeft niet. Dan doet Fleur haar hoofd wel onder water.

Maar Donald vertelt helemaal niets. Hij vindt de tent gaaf en hij wil er ook in spelen. Dat doen ze de hele middag, totdat ze moeten eten. En daarna weer, tot het donker wordt.

'Fleur gaat haar tanden poetsen, Donald,' zegt mama. 'Kom morgen maar terug.'

'Goedenavond mevrouw en meneer,' zegt Donald. 'Tot morgen, Fleur. Slaap maar lekker in je eigen tent.'

Papa schenkt een glas wijn in.

'Wat een kereltje,' zegt hij, terwijl hij Donald nakijkt.

Als Fleur helemaal schoon is en haar pyjama aan heeft, kruipt ze de nieuwe tent in. Papa vertelt een verhaaltje met zijn hoofd door de rits, want hij kan er niet meer bij. Daarna doet hij de rits dicht.

Fleur ligt stil op haar luchtbed. Ze luistert naar papa en mama, die buiten zitten te praten. Ze kijkt naar Pluim. De tent ruikt gek, een beetje naar nieuwe schoenen. En Fleur kan haar neus niet in mama's lekkere kussen duwen, want mama's kussen is er niet. Dat ligt in de grote tent. De mamatent...

Fleur kruipt weer naar buiten.

'Wat is er, scheet?' vraagt papa.

Fleur zegt niks. Ze kan niet slapen in de nieuwe tent. Maar dat wil ze niet vertellen. Want dan is het net of ze niet blij is, en dat is ze wel. De tent is leuk om in te spelen. Alleen: erin slapen – nee, dat gaat niet.

Mama begrijpt het gelukkig.

'Vind je het naar om alleen te liggen?' vraagt ze.

Fleur knikt.

'Kruip dan maar lekker op papa's plekje,' zegt mama.

Papa knikt dat het goed is. Lief van hem! Eerst ging hij al in de auto, en nu alleen in de nieuwe tent.

Fleur kruipt snel op papa's plek en drukt haar neus in mama's kussen. Zo is het goed. Pluim slaapt meteen, en Fleur dommelt ook bijna weg.

Ze denkt nog even aan haar tentje, haar mooie nieuwe tentje. Morgen gaat ze er weer in spelen, met Donald. Want het blijft háár tent.

Ja, Fleur heeft het kleinste tentje.

Maar papa moet erin slapen.

Poppetjes, gansjes en pulletjes

Vandaag is er een markt in het stadje die *brocante* heet. Het hele plein staat vol met oude rommel en er lopen veel mensen rond. Fleur is er ook, met papa en mama. En met Donald, want die mocht een ochtendje mee.

'Kijk toch eens wat een troep,' zegt mama. Ze wijst naar een oude vrouw die op een kapot stoeltje midden op het plein zit. Om haar heen staan verveloze bedden met roestige spijlen, gedeukte emmers en allerlei andere rotzooi. Niemand wil daar iets van kopen. Maar de oude vrouw drinkt koffie uit een gescheurde mok en kijkt heel tevreden.

'Nou, als je zo'n bed een nieuw verfje geeft...' zegt papa.

'Denk erom, Jan!' zegt mama. 'We gaan niet met een auto vol rommel terug naar Nederland!'

'Natuurlijk niet,' zegt papa. 'Maar toch, met een beetje verf...'

'Hier zijn poppetjes!' roept Fleur.

Ze staat bij een deken waar twee kinderen op zitten. De deken ligt vol speelgoed en boeken. Aan die boeken heb je niks, die zijn allemaal in het Frans geschreven. Maar bij het speelgoed zijn wel leuke dingen. Er is bijvoorbeeld een hele berg plastic poppetjes.

'Riddertjes!' roept Donald. 'En dino's!'

'Ik wil geen riddertjes,' zegt Fleur.

'Dieren dan misschien?' vraagt mama. 'Kijk, hier is een moedereend met kleintjes.'

'Pulletjes,' zegt papa. 'Kleine eendjes, die noem je pulletjes.'

'Die wil ik wel,' zegt Fleur.

Donald vindt een dino die hij nog niet had. Mama betaalt de kinderen op de deken een euro en papa maakt een foto waar iedereen op staat.

Dan ziet Fleur dat er niet alleen oude rommel te koop is, op de brocante. Er is ook een beestenmarkt, iets verderop. Ze rent er meteen naartoe.

'Kijk, échte eendjes!' roept ze. 'En ganzen, en kippen!'

De vogels zitten allemaal in grote bakken bij elkaar. Het is een beetje een zielig gezicht, maar ook wel grappig. Vooral de kleine kuikentjes zijn lief.

'Zie je die bruine?' roept Fleur. 'En dat kleintje daar...'

Er komt geen antwoord. Dat is vreemd, meestal heeft papa wel iets te zeggen. Of anders Donald wel. Fleur draait zich om.

Ze is alleen. Papa en mama zijn nergens te bekennen, en Donald ook niet. Fleur ziet alleen maar onbekende Franse mensen die vriendelijk naar haar lachen.

Hoe kan dat nou? denkt Fleur. Ze waren vlakbij! Ze kunnen toch niet zomaar opeens weg zijn?

Misschien is het een grapje. Misschien hebben ze zich verstopt. Fleur tuurt tussen de mensen door en wacht. En wacht. En wacht, en wacht...

Het duurt wel erg lang voor een grapje. Het is helemaal niet leuk meer. En als papa en mama terug zijn gegaan naar de camping? Als ze haar helemaal niet missen?

Fleurs lip begint te trillen en haar ogen worden nat. Ze wil niet huilen, maar ze doet het toch. Midden op die grote, vreemde, Franse markt.

'Keskieliá?' vraagt een mevrouw. 'Tuu eh perduu?'

Fleur verstaat er niets van, maar ze knikt toch.

'Ik wil naar mama,' zegt ze.

De mevrouw knikt ook.

'Mamán,' zegt ze. 'Vjen.'

De mevrouw steekt een hand uit, maar Fleur pakt hem niet beet. Ze heeft geleerd dat je nooit met vreemde mensen moet meegaan, dus dat doet ze niet. De mevrouw knikt weer.

'Restiessíé,' zegt ze, en ze wijst naar de grond.

Fleur begrijpt dat ze moet blijven staan waar ze is. De mevrouw loopt weg. Er zijn nog meer mensen blijven staan. Een meneer wil Fleur een snoepje geven. Dat mag ze ook niet aannemen. Fleur is heel verstandig.

Daar is de mevrouw alweer. Ze heeft een politieagent meegenomen.

'Bonsjoer,' zegt de agent.

'Bonsjoer,' zegt Fleur zacht.

De agent lacht. Hij steekt een hand uit. Dit keer laat Fleur zich wél meenemen. Een agent is niet zomaar iemand. Een agent kun je vertrouwen.

Samen lopen ze over de markt. De agent praat de hele tijd, maar Fleur kan niets terugzeggen. En dan hoort ze opeens haar naam.

'Fleur!'

Het is mama. Ze komt aangerend met papa en Donald achter haar aan.

Fleur laat de agent los en springt in mama's armen. Ze moet nog veel harder huilen dan daarnet.

'Lieverdje, waar was je nou?' vraagt mama.

'Bij de eendjes,' zegt Fleur. 'Maar jullie waren weg…'

Over mama's schouder ziet ze hoe papa de agent een hand geeft.

'Mersie,' zegt papa.

De agent tikt even aan zijn pet en loopt dan de markt weer op. In de verte staat de vriendelijke mevrouw. Ze zwaait naar Fleur.

'Nooit meer doen hoor, poppetje,' zegt mama.

'Blijf voortaan maar bij ons, gansje,' zegt papa.

'We hebben zwaarden gekocht, pulletje,' zegt Donald.

'Je bent zelf een eend!' roept Fleur.

En ze steekt haar tong uit.

Kampvuur

De lucht is bijna paars en de maan klimt al omhoog boven het Merelmeertje, maar mama heeft nog niet gevraagd: 'Wat denk je ervan, Fleur?' Want vanavond is het feest op het strand. Er is een grote houtstapel gebouwd en die wordt straks aangestoken. Alle mensen van de camping komen ernaartoe.

'Zes jaar geleden was dat ook zo,' zegt papa. 'Toen was het heel gezellig.'

'Ik ben dol op vuurtjes,' zegt mama. 'Je kunt er uren naar kijken. Vuur is altijd anders en het verveelt nooit.'

'We zouden een open haard moeten hebben,' zegt papa. 'Maar ja, dat gaat niet op een flat.'

'Daar komen ze!' roept Fleur.

Op het zandpad loopt de meneer van de camping met nog twee mannen. Ze trekken een kar die helemaal vol ligt met dozen en flessen. De meneer van de camping lacht naar Fleur.

'Allo Fleur,' zegt hij. 'Kom jaai ook fannafónt?'

'Ja,' zegt Fleur.

'Kuhsellík!' zegt de man, en hij loopt door naar de houtstapel.

'Wat zegt hij?' vraagt Fleur.

'Dat het gezellig is dat je komt,' zegt papa.

'O ja,' zegt Fleur. 'Kuhsellík, gezellig.'

De mannen hebben een jerrycan gepakt en gieten benzine over de brandstapel.

'Blijf nog maar een beetje uit de buurt,' zegt mama. 'Nu gaan ze het vuur aansteken en dat gaat met een grote plof.'

Fleur gaat voor de zekerheid achter papa's dikke billen staan. Ze gluurt naar de mannen. Die hebben de jerrycan ver weg gezet, bij het water, en de meneer van de camping prutst wat met lucifers. Dat is spannend, want Fleur mag nooit, nóóit, met lucifers prutsen.

64

De lucifer brandt, de vlam wordt groter en groter. Dan gooit de meneer van de camping hem met een boog op de houtstapel. Even gebeurt er niets. Fleur is al bang dat het hele kampvuur gaat mislukken. Maar dan hoort ze *Woef!* en de vlammen schieten naar de nachthemel. De hele stapel brandt in één keer, en het knettert ook al. Vonkjes dwarrelen omhoog als vallende sterren die de weg kwijt zijn.

Fleur klapt in haar handen van plezier.

'Mag ik erheen?' vraagt ze. 'Mag ik erheen?'

'Kom maar,' zegt mama.

Samen lopen ze naar het vuur. Er zijn al meer mensen op af gekomen, maar Fleur mag vooraan staan. Ze voelt de hitte aan haar gezicht. Het vuurt knettert en gromt en sist en piept. De vlammen hebben allerlei kleuren en nooit zijn ze een seconde hetzelfde.

'Mooi hè,' zucht mama.

Donald is er ook, met zijn vader en moeder. Ze staan aan de andere kant van de houtstapel en Fleur kan hen af en toe zien, tussen de vlammen door. Donald komt niet naar haar toe. Dat is eigenlijk wel prettig, voor een keertje.

Er komen mannen langs met bekertjes wijn en limonade. Alles is gratis, want het is feest. De mensen heffen hun glazen op naar elkaar.

'Santé!' roepen ze.

'Dat is proost, in het Frans,' legt papa uit.

'Santé!' roept Fleur.

Een man heeft zijn accordeon meegebracht en begint droevige liedjes te spelen. De Franse mensen zingen met hem mee. En mama ook!

'Poertah,' zingt ze, 'kuhlamontán jehbelluh, kommáh peutonsie maasjienee...'

'Wat zingt ze nou?' vraagt Fleur aan papa.

'Dat is een beroemd Frans lied,' zegt papa. 'Maar er zijn ook Nederlandse woorden voor. Luister maar.'

Papa wacht even tot het refrein van het lied weer gaat beginnen. Dan haalt hij diep adem en zingt zachtjes mee.

'En langs het tuinpad van mijn vader,' zingt hij, 'zag ik de hoge bomen staan...'

'Het is een droevig liedje,' zegt Fleur.

'Ja,' zegt papa. 'Het gaat over dingen die veranderen en dat alles voorbijgaat.'

'De vakantie gaat ook voorbij,' zegt Fleur.

'Maar nu nog niet,' zegt papa. 'Nu zijn we nog bij het Merelmeertje, en er is een vuur en er is wijn. We gaan niet somber doen.'

Nee, denkt Fleur, we gaan niet somber doen. En ze pakt nog maar een bekertje limonade.

Santé!

In het meer én in de nacht

Fleur wordt wakker terwijl het nog helemaal nacht is. De tent is donker en mama zucht heel diep in haar slaap. Maar dat is niet het enige geluid.

Overal klinkt het geklater van water, heel veel water, alsof er wel duizend kranen openstaan. En op het tentdoek roffelt het maar door.

Het regent, denkt Fleur. En niet zo'n beetje ook. Het regent verschrikkelijk.

Voorzichtig voelt ze naar de zaklantaarn. Die moet bij mama's hoofd liggen. Ze vindt hem zonder mama wakker te maken en knipt hem aan.

In het licht ziet Fleur dat de hele tent beweegt van de zware druppels die erop vallen. En vanaf de ingang loopt een klein riviertje de tent in. Mama's kleren, die bij haar voeten liggen, zijn al helemaal nat. Dus moet ze toch maar wakker worden.

'Mama,' zegt Fleur, 'mama, het regent.'

'Gezellig toch,' bromt mama.

Ze slaapt nog half, dat kun je horen.

'Maar alles wordt nat,' zegt Fleur.

'Dat gebeurt altijd als het regent,' zegt mama.

Nu wordt Fleur boos. 'Maar ook in de tent!' roept ze.

'O,' zegt mama en ze komt overeind.

Van buiten klinkt nu ook een ander geluid. Papa doet de rits van Fleurs kleine tentje open.

'Verdorie!' hoort ze hem zeggen.

Nu is mama echt wakker. Ze pakt haar jas uit de koffer en trekt die aan.

'Goed van je, Fleur,' zegt ze. 'Goed dat je me gewaarschuwd hebt.'

Mama ritst de tent open en steekt een hand naar buiten.

'Het regent echt verschrikkelijk hard,' zegt ze. 'Geef me de zaklantaarn eens?'

Mama schijnt naar buiten, de nacht in. Overal is water, Fleur ziet dikke stralen naar beneden komen. Het zandpad is een rivier geworden en het Merelmeertje is een stuk dichterbij.

'Jan?' roept mama.

'Jaja,' zegt papa. 'Ik ben er al uit.'

Dat ziet Fleur ook. Papa komt voor de tent staan, op blote voeten en met alleen zijn onderbroek aan. Hij is kletsnat en hij heeft een klein schepje in zijn handen.

'Wat gaat papa doen?' vraagt Fleur.

'Greppels graven,' zegt mama. 'Vóór de tenten. Dan kan het water daarin wegstromen en dan komt het de tent niet meer in.'

Dat is slim. Maar waarom heeft papa geen jas aan?

'Heb je het niet koud, papa?' roept Fleur.

'Nee, de regen is warm,' zegt papa. 'Kom maar voelen.'

Fleur kijkt naar mama. Mag ze wel naar buiten?

'Trek je nachthemd maar uit,' zegt mama.

Fleur doet het meteen. In twee tellen is ze buiten. Ze draagt alleen een onderbroek, net als papa. En het is niet koud. De regen is echt warm. Het lijkt wel alsof ze onder de douche staat. In haar onderbroek.

'Jij hebt toch ook een schep, Fleur?' vraagt papa.

Fleur rent door de plassen naar de achterkant van de tent. Daar liggen haar strandspulletjes. Ze pakt een emmer en een schep en rent weer terug naar papa.

'Begin jij maar aan die kant,' zegt papa. 'Graaf een diepe greppel, naar mij toe. Ik begin hier, dan komen we elkaar straks vanzelf tegen.'

Fleur begint meteen te graven. Maar het valt nog niet mee. Het zand is zwaar van alle regen en er hangen steeds natte haren voor haar ogen. Mama komt ook helpen. Ze heeft haar jas weer uitgedaan en haar bikini aangetrokken. Ze graaft met haar handen.

68

Het is vast een gek gezicht, denkt Fleur. Twee onderbroeken en een bikini, midden in de nacht en in de stromende regen in de weer met schepjes en emmertjes. Maar het moet, anders drijven de tenten weg.

De meneer van de camping komt aanlopen. Hij draagt hoge laarzen en een lange, gele jas. In zijn handen heeft hij een grote lantaarn.

'Ollanders,' zegt hij met een lach.

'Ja, hier zijn wij goed in,' zegt papa.

'Jah jah,' zegt de meneer.

Hij loopt weer verder. Hij moet natuurlijk kijken of alles wel veilig is, op de camping.

'Waar zijn we goed in?' vraagt Fleur.

'Werken met water,' zegt papa. 'Heel Nederland is toch vol met water? De Nederlanders hebben wel geleerd hoe je daarmee om moet gaan. Dijken bouwen, kanalen graven – dat soort dingen.'

'Kijk maar,' zegt mama.

De greppel is af. Al het regenwater stroomt nu bij de tent vandaan en naar het Merelmeertje toe. Het riviertje dat naar binnen liep, is verdwenen.

'Nu kunnen we weer slapen,' zegt mama.

'Maar dat hoeft niet,' zegt papa. 'Kijk eens hoe vies we zijn...'

Fleur begrijpt wat papa bedoelt.

'We gaan zwemmen!' roept ze. 'In het meer én in de nacht!'

'Precies,' zegt papa.

Hand in hand rennen ze het water in. Ze zwemmen tot ze helemaal schoon zijn.

Er plonzen geen grote dingen in het water, vannacht.

Behalve papa dan.

Dag, Donald

'Fleur...'

Donald praat zo zacht dat Fleur hem haast niet kan verstaan. En hij staat er ook vreemd bij, helemaal niet zoals anders. Met zijn voet wroet hij in het zand bij het Merelmeertje en hij kijkt Fleur niet aan.

'Waar zijn je dino's?' vraagt ze.

'Ingepakt,' zegt Donald.

'Waarom?' vraagt Fleur.

'Omdat we weggaan,' zegt Donald. 'Strakjes al.'

'Waar gaan jullie dan heen?' vraagt Fleur.

'Naar huis,' zegt Donald. 'De vakantie is voorbij.'

'Naar hoe heet het...' zegt Fleur.

'Nieuwegein,' zegt Donald.

Nu kijkt hij eindelijk op. Hij ziet er niet zo vrolijk uit.

'Ik kom afscheid nemen,' zegt hij.

Hij zoekt wat in zijn broekzak en trekt dan een papiertje tevoorschijn.

'Mijn adres,' zegt hij en hij geeft het papiertje aan Fleur.

'Wat moet ik daarmee?' vraagt ze.

'Dan kun je me schrijven,' zegt Donald.

'Ik kan helemaal nog niet schrijven,' zegt Fleur.

Donald zegt niks terug. Hij kijkt weer naar de grond. Fleur vindt het maar een raar gesprek. Ze weet niet goed hoe het verder moet.

Gelukkig komt papa erbij staan.

'Zo, knul,' zegt papa. 'Ik zie dat jullie tent al weg is. Zit de vakantie erop?'

Donald knikt.

'Dan wens ik je een heel goede reis,' zegt papa. 'En het was gezellig.'

Dus dat moet je zeggen!

'Goede reis,' zegt Fleur. 'Het was leuk.'

'Ja,' zegt Donald.

'Maar thuis is het ook leuk, toch?' zegt papa. 'Dan zie je al je vriendjes weer, en je kan in je eigen bed slapen.'

'Ja,' zegt Donald. 'Maar in Frankrijk is het leuker.'

'Dat komt alleen maar omdat je er niet de hele tijd bent,' zegt papa. 'Als je hier zou wonen, zou je heel graag een paar weken naar Nieuwegein gaan, denk ik. Want dan was dát je vakantie. Zo werkt het.'

Ja, dat klinkt goed, denkt Fleur. Dat heeft papa goed uitgelegd.

Maar Donald lijkt het niet helemaal te geloven.

'Misschien,' zegt hij.

Donalds vader roept.

'Dag,' zegt Donald.

'Ik kom zwaaien,' zegt Fleur.

Ze loopt met Donald mee over het zandpad. Op de plek van zijn tent staat nu niets meer. Alles is in de auto geladen. Donald veegt het zand van zijn voeten en trekt zijn schoenen aan. Dan stapt hij in.

'Dag Fleur,' zegt Donalds moeder. 'En nog een fijne vakantie!'

'Dag,' zegt Fleur. 'En doe de groeten aan Nieuwegein.'

Donalds vader lacht. 'Dat zullen we doen,' zegt hij.

Iedereen zit nu in de auto. Donalds moeder start de motor en langzaam rijden ze naar de uitgang van de camping.

'Dahag!' gilt Fleur. 'Dahag Donald! Dahag!'

Ze zwaait met twee armen, maar Donald kijkt niet om. Ze ziet alleen zijn achterhoofd. Hij zit natuurlijk weer naar zijn voeten te staren.

Als de auto verdwenen is, draait Fleur zich om. Op de plek waar Donalds tent gestaan heeft, is het gras helemaal geel geworden. En er ligt ook nog iets... Een dino!

Fleur raapt het poppetje op. Het is de dino van de brocante, ziet ze. De dino die mama voor Donald gekocht heeft. Ook stom, om die zomaar te laten liggen!

Gelukkig heeft Fleur zijn adres.

Tour de France

'En nu is het mooie,' zegt papa, 'dat de Tour de France hier langskomt. Vanmiddag.'

'Wat, langs de camping?' vraagt mama.

'Nee, niet helemaal,' zegt papa. 'Een klein stukje verderop. Bij het dorp.'

'En daar wil jij heen,' zegt mama. 'En wij moeten mee.'

'Jullie moeten niks,' zegt papa. 'Maar ik ga er zeker heen.'

'Wat is toerdefrans?' vraagt Fleur.

'Dat is een wielerwedstrijd,' zegt papa. 'Dat heb je toch wel eens op de televisie gezien?'

Fleur denkt na, maar ze kan het zich niet herinneren.

'Tuurlijk wel,' zegt papa. 'Met al die fietsers met die leuke gekleurde shirtjes, en al die auto's ervoor en erachter en mensen langs de kant en spandoeken...'

'En herrie,' zegt mama. 'En hitte, en benzinedamp, en bier...'

'Precies!' roept papa. 'Hartstikke leuk!'

Ja, nu begrijpt Fleur het een beetje.

'Komen wij dan ook op de televisie?' vraagt ze.

'Misschien wel,' zegt papa. 'Als ik jou op mijn schouders zet, misschien wel.'

'En kan oma ons dan zien?' vraagt Fleur.

'Als ze kijkt,' zegt papa.

'Oma houdt niet zo van sport,' zegt mama.

'Maar oma houdt wél van mij!' roept Fleur.

'Als je meegaat, bel ik haar op,' zegt papa. 'Dan gaat ze zeker kijken.'

Fleur wil graag mee. Mama maakt een tas met drinken en broodjes en papa bestudeert de kaart.

'We moeten een plekje vinden waar we nog kunnen komen,'

zegt hij. 'Alle wegen worden natuurlijk afgezet.'

'Vraag het aan de meneer van de camping,' zegt mama. 'Die weet hier overal de weg.'

Dat vindt papa een slim plan. Hij loopt meteen naar het huisje bij de ingang. Mama smeert Fleur nog even extra dik in met zonnebrandcrème.

'Als het te heet wordt, moet je het tegen papa zeggen, Fleur,' zegt ze. 'En hou je hoedje op, anders krijg je een zonnesteek.'

Fleur weet niet wat een zonnestreek is, maar het klinkt niet als iets wat ze graag zou willen hebben. Ze besluit haar hoedje op te houden.

Papa is alweer terug.

'We gaan helemaal niet met de auto,' zegt hij. 'We moeten langs het meertje lopen tot bij de andere oever. Daar is een weg door het bos waar ze langskomen. En dan moeten we een eindje verderop gaan staan, want daar is een scherpe bocht.'

'Waarom moeten we in een bocht staan?' vraagt Fleur.

'Omdat ze daar moeten remmen, en dan kun je de fietsers veel beter zien,' zegt papa.

'Als het in een bos is,' zegt mama, 'en hier vlakbij, dan wil ik ook wel even mee.'

'Gezellig!' roept papa. 'En ik ga oma bellen.'

Fleur heeft er zin in. Het lijkt haar leuk om de fietsers voorbij te zien komen. En het is helemaal leuk dat ze op de televisie komt, en naar oma kan zwaaien.

Dat vinden de andere mensen op de camping ook, en ze lopen allemaal door het bos. Het is heel druk op het smalle paadje. Sommige mensen hebben vlaggen bij zich, Nederlandse en Franse. Die verschillen niet zoveel, de Franse vlag is gewoon de Nederlandse vlag maar dan verkeerd opgehangen. Het hele bos is rood, wit en blauw.

Als ze bij de weg komen, wordt het nog drukker. Op open plekken staan zelfs tenten en caravans. Het ruikt er naar barbecue en bier en overal klinkt retteketetmuziek.

'O, vreselijk,' zegt mama. 'Wanneer komen de fietsers?'

'Nog niet,' zegt papa. 'Ze zijn hier nog een half uur vandaan. Kom, we gaan een plekje zoeken.'

Maar dat gaat niet. Iedereen wil bij de scherpe bocht staan en er zijn zoveel mensen dat zelfs papa er niet doorheen komt.

'Nou ja, dan blijven we hier,' zegt hij. 'Hier zien we ze ook wel.'

Fleur ziet niets. Ja, benen. Enorm veel blote, witte benen. En dikke billen in sportbroekjes. En andere kinderen, die ook niks kunnen zien. Het lijkt opeens veel minder leuk, de Tour de France.

'Als ze komen, zet ik je op mijn nek,' zegt papa.

En dan komen de auto's. Rijen en rijen auto's. Politieauto's, vrachtauto's, muziekauto's. Binnen de kortste keren hangt het bos vol benzinelucht.

'Dat is toch niet gezond,' zegt mama.

'Ze zijn alweer voorbij,' zegt papa. 'Nu komen de wielrenners!'

Hij pakt Fleur onder haar armen en slingert haar in één keer op zijn schouders.

Dekker

Er is niemand op de weg. Er staan grote witte letters op geschilderd. Boven het asfalt trilt de lucht van de hitte. De rijen mensen kijken allemaal dezelfde kant op, naar de bocht in de verte. Daar moeten ze vandaan komen, de fietsers. Maar voorlopig gebeurt er nog niets.

'Misschien zijn ze verdwaald,' zegt Fleur.

Papa lacht.

'Dat kan niet, scheet,' zegt hij.

'Misschien hebben ze geen zin meer,' zegt Fleur. 'Omdat het zo heet is.'

'Dan maken ze maar zin,' zegt papa. 'Ze worden ervoor betaald.'

'Betaald om te fietsen?' vraagt Fleur.

'Ja,' zegt papa. 'Dit zijn profs. Die verdienen hun geld met wedstrijden rijden.'

'Ik fiets altijd voor niks naar school,' zegt Fleur.

'En zo hoort het ook,' zegt mama.

Nu komen er opeens grote motoren aanrijden met politieagenten erop. De mensen langs de kant beginnen te juichen. Ze strekken hun nekken nog meer.

En daar is een fietser! Hij komt zo snel de bocht door dat hij bijna van de weg raakt, ziet Fleur. Maar het gaat goed. Naast hem rijdt weer een motor. Daar zit iemand achterop met een grote televisiecamera.

Oma! denkt Fleur. Ze zwaait zo hard als ze kan.

'Oma!' roept ze. 'Ik ben hier! Ik ben hier!'

De camera draait heel even naar haar toe.

'Oma!' gilt Fleur.

En dan is de fietser weg, en de motor ook. Er rijdt een rode auto langs met allemaal stickers erop.

'Was dat nou Dekker?' vraagt papa. 'Dat was toch Dekker?'

'Ja,' zegt een man met een bruin hoofd naast papa. 'Volgens mij wel.'

'Dat was Dekker!' roept papa. 'Hoor je dat, Fleur?'

Fleur hoort niets. Ze kijkt. Er komen nog veel meer fietsers door de bocht. Ze gaan zo snel dat je ze bijna niet kunt zien. Het is net een lint met honderd kleuren, rood en groen vooral, en blauw. En geel.

'De gele trui!' roept papa. 'Daar gaat de gele trui. Die ligt een eind achter, zeg!'

Er rijden nog meer motoren met camera's langs en Fleur blijft maar zwaaien. Dan komt er een hele stoet toeterende auto's met fietsen op het dak. En dan nog een paar fietsers die niet zo hard kunnen. En dan weer auto's, rijen en rijen auto's.

Maar deze auto's geven cadeautjes! Fleur krijgt een ballon, en drinken, en heel veel boekjes, en een opblaasbeest, en weer drinken, en snoep, en nog een ballon. Ze kan het allemaal niet eens vasthouden.

Als de laatste auto weg is, gaan ze terug door het bos. Papa en mama helpen de cadeautjes dragen. Fleurs oren tuiten nog helemaal van alle herrie. In het bos is het gelukkig een stuk stiller. Je kunt zelfs weer vogeltjes horen fluiten.

Net als ze weer bij de tent zijn, gaat papa's telefoon.

'Zuidema,' zegt papa. Hij luistert even. Dan geeft hij de telefoon aan Fleur. 'Oma wil je iets zeggen,' zegt hij.

Fleur houdt de telefoon aan haar oor. 'Met Fleur,' zegt ze.

'Dag lieverd,' zegt oma door de telefoon. 'Ik heb je gezien. Je was op de televisie! En papa ook, met een heel rood hoofd. Ik zag je zwaaien!'

'Ik riep ook naar je,' zegt Fleur.

'Dat zag ik,' zegt oma. 'Maar ik kon het niet horen.'

'Vraag eens wie er voorop reed,' fluistert papa.

'Oma, wie reed er voorop?' vraagt Fleur.

'O, dat weet ik niet, lieverd,' zegt oma. 'Ik hou helemaal niet van sport. Ik heb alleen naar jou gekeken.'

'Was het Dekker?' vraagt papa.

'Papa wil weten of het Dekker was,' zegt Fleur.

'Zeg maar ja,' zegt oma met een giechellach. 'Daar wordt je vader vast blij van.'

'Goed,' zegt Fleur. 'Dag oma.'

'Dag lieverd,' zegt oma. 'Tot gauw en nog veel plezier.'

Fleur geeft de telefoon aan papa.

'Het was Dekker,' zegt ze.

'Ik wist het!' roept papa. 'En wat lag hij ver voor... Hij gaat vast winnen!'

En dan krijgt Fleur een extra groot ijsje. Ter ere van Dekker.
Lekker.

Het leukste

Het is de laatste middag en Fleur verveelt zich. Mama is al bezig met inpakken en papa breekt het kleine tentje af. 'Dat scheelt tijd, morgenvroeg,' zei hij.

Fleur wordt er een beetje droevig van.

Er zijn al veel lege plekken op de camping. Iedereen moet weer naar huis. Fleur ziet nog maar weinig kinderen. En het weer is ook al niet mooi. De lucht is grijs en er staat een koude wind. Het lijkt helemaal niet meer op vakantie.

'Zo,' zegt papa.

Hij heeft het tentje weer in de groene zak gekregen en bergt die nu op in de auto. Fleur kijkt naar het gras waar haar tent op heeft gestaan. Het is een beetje geel geworden.

'Nu lust ik wel een wijntje,' zegt papa.

'Ik verveel me,' zegt Fleur.

'Tja, dat hoort erbij,' zegt papa. 'Dat heb je soms. Maar gelukkig heb jij het pas op de laatste dag.'

'Ik weet niks te doen,' zegt Fleur.

'Ja precies,' zegt papa. 'Dat heet vervelen.'

Hij trekt een fles wijn open en schenkt twee glazen vol. Voor Fleur maakt hij een bekertje limonade, met water uit de jerrycan.

'Wil jij niks met me doen?' vraagt Fleur.

'O, van alles,' zegt papa. 'Soms wil ik je opvreten en soms wil ik je achter het behang plakken. Maar er is geen behang in de tent.'

'Nee, écht,' zegt Fleur. 'Een spelletje.'

'Kind, ik zit net,' zegt papa. 'Straks misschien.'

Mama komt de grote tent uit en gaat naast papa zitten. Ze pakt haar wijnglas op.

'Proost,' zegt ze. 'Op een heerlijke vakantie.'

Fleur pakt haar beker en drinkt. De limonade is niet koud en hij smaakt plakkerig.

'Wat vond jij het leukste, Fleur?' vraagt papa.

'Niks,' zegt Fleur. 'Ik vond alles stom.'

'Dat is niet waar,' zegt mama met een lach. 'We hebben heel veel leuke dingen gedaan.'

'Dat ben ik vergeten,' zegt Fleur.

'Argg!' gromt papa. 'Kom hier, dan stop ik je onder het grond-zeil. Of ik prop je in de zak bij je tentje.'

'Je zou natuurlijk ook kunnen gaan badmintonnen,' zegt mama. 'Dat is voor jou ook gezond, een beetje bewegen.'

'Het waait,' zegt papa.

'Dan geef je Fleur wind mee,' zegt mama. 'Dat maakt het extra moeilijk voor jou.'

'Wil je dat, Fleur?' vraagt papa.

Fleur haalt haar schouders op.

'Mij best,' zegt ze.

Papa drinkt zijn glas leeg en pakt de badmintonrackets. Hij loopt naar het strandje. Fleur komt achter hem aan. Ze krijgt een racket en de shuttle en het spel begint.

Het is moeilijk, in de wind. Fleur raakt haast niets. En als ze wél goed slaat, vliegt de shuttle hoog over papa heen.

'Rustig, Fleur,' zegt papa. 'Je hebt wind mee, vergeet dat niet!'

Fleur probeert wat minder hard te slaan. Nu gaat het beter. Papa telt hoe vaak ze overspelen. Drie keer, vier keer, vijf keer zelfs...

Nu krijgt de wind de shuttle weer te pakken. Fleur rent naar voren en ze haalt het nog net: met een boog zeilt de shuttle over papa heen. Hij moet achteruit rennen, zo hard als hij kan. En hij ziet niet waar hij heen loopt!

'Papa! Pas op!' roept Fleur.

Maar het is al te laat. Papa is achteruit het Merelmeertje in gelopen en van schrik struikelt hij ook nog. Met een enorme plons komt hij op zijn rug in het water terecht. Daar blijft hij zitten, met een verbaasd hoofd en het racket nog in zijn hand. De shuttle dobbert naast hem.

Fleur schrikt eerst, maar dan moet ze vreselijk lachen. Het is ook zo'n dom gezicht! En mama, bij de tent, lacht net zo hard mee.

'Jaja, reuze grappig,' moppert papa. 'Vader ligt weer eens in het water. Fijn, hoor.'

82

Hij staat op en plast naar de kant.

'En de droge kleren zijn…' begint hij.

'Allemaal al ingepakt,' zegt mama. 'Maar ik zoek wel wat voor je, schat.'

Ze rommelt wat in de koffer en geeft papa een stapel kleren en een handdoek. Nog namopperend verdwijnt hij naar het washok om te douchen.

'Nou ja,' zegt Fleur. 'Nou weet ik in elk geval wat ik het leukste van de vakantie vond!'

Thuis

En nu moeten ze die hele lange weg weer terug!

Het is nog donker als Fleur wakker wordt gemaakt. De camping is stil en de tent is al leeg. Alleen Fleurs luchtbed en haar slaapzak liggen er nog in. Mama heeft thee gemaakt en ze eten de laatste croissantjes. Daarna breekt papa de tent af en bindt alles stevig vast op het dak van de auto.

Het gaat allemaal heel vlug, opeens. De lucht wordt net roze boven het Merelmeertje als mama de motor start.

'Dag, fijn plekje,' zegt ze. 'Misschien tot nog eens een keer.'

Fleur voelt zich een beetje verdrietig. Nu begrijpt ze waarom Donald zo raar deed, toen hij wegging. Weggaan is niet leuk.

Papa probeert het wel gezellig te houden. Hij zingt gekke liedjes en hij wijst naar dingen langs de weg.

'Daar is de markt waar de politieman jou vond,' zegt papa. 'De markt met de pulletjes.'

'Brocante,' zegt Fleur. Ze weet het nog best.

'Kijk,' zegt papa even later. 'Daar staat het kasteel van Heer Edmund. Weet je nog wel?'

Fleur ziet de torens en het plekje waar ze gepicknickt hebben. Ze heeft het ridderpopje nog in haar zak.

'En daar is de garage met de grote hond,' roept papa. 'Daar heb je de hond zelf!'

Fleur moet er toch weer om giechelen, ook al is ze verdrietig.

'Hier hadden we die lekke band,' zegt papa.

Het graan is van de velden, ziet Fleur. Daar zijn ze nu zeker brood van aan het bakken. Of croissantjes...

Het is warm, achter in de auto. Fleur doet heel even haar ogen dicht. Papa zingt een liedje over mensen die op vakantie gaan en hun hond vergeten mee te nemen. Maar Fleur haalt het einde niet. Ze valt in slaap.

84

Mama maakt haar wakker op een grote parkeerplaats. Ze eten lekker patatjes in een enorm restaurant langs de snelweg. En dan moeten ze weer door.

Het duurt lang, heel lang en Fleur verveelt zich. Ze doet spelletjes met mama; ze tellen rode en blauwe auto's, ze zoeken auto's met gele nummerplaten. Fleur wint elke keer.

En dan zegt papa opeens: 'Ken jij deze straat, Fleur?'

Ze rijden door een dorp met grote huizen. Er is een brede sloot met bomen erlangs. Er is een garagepad met een klein, rood autootje erop.

Het is oma's huis!

'We zijn bij oma!' gilt Fleur.

Ze is niet moe meer, en niet verdrietig en niet verveeld. Ze is blij! Oma zit in haar stoel voor het raam. Fleur ziet haar opstaan en zwaaien. Ze zwaait meteen terug.

Papa parkeert de auto en Fleur rent naar de voordeur. Oma staat al te wachten. Ze tilt Fleur op en drukt haar bijna plat tegen zich aan.

'Dag, Frans dametje,' zegt oma. 'Hebben jullie het fijn gehad?'

Fleur zegt niks. Ze heeft haar armen om oma's nek geslagen en ruikt haar lekkere luchtje.

'Dag mam,' zegt papa. 'We wilden nog niet meteen naar huis.'

'Gezellig,' zegt oma. 'Kom verder, dan zet ik koffie.'

Maar dat moet mama doen, want Fleur laat oma niet meer los.

'Waren we lang weg?' vraagt ze.

'Veel te lang,' zegt oma. 'Maar gelukkig kon ik je zien op de televisie. En ik heb een verrassing voor je.'

Oma zet de televisie aan en rommelt wat met de afstandsbediening.

'O, doe jij dat even, Jan,' zegt ze. 'Ik begrijp helemaal niks van die knopjes...'

'Wat wil je laten zien?' vraagt papa.

'De dinges,' zegt oma. 'Een bandje. Het staat al goed. De buur-
man heeft het voor me opgenomen.'

Papa schakelt de videorecorder in. En dan ziet Fleur zichzelf,
hoog boven papa's rode hoofd tussen alle mensen in het bos. Ze
is heel goed in beeld, eventjes. Dan gaat de camera weer terug
naar de fietser.

'Dat is Dekker helemaal niet,' zegt papa. 'Dat is die Italiaan.'

Fleur kan het niet geloven.

'Dat was ik,' zegt ze. 'Dat was ik in Frankrijk. Daar ben ik
geweest, en jij hebt het gezien.'

'Leuk hè,' zegt oma.

Mama komt binnen met koffie en zij moet het ook zien, natuurlijk. Daarna drinken ze koffie en Fleur krijgt limonade.

'Proost,' zegt oma. 'Op jullie behouden thuiskomst.'

'Proost,' zegt papa.

'Proost,' zegt mama.

'Santé,' zegt Fleur.

Ze is weer thuis.

Lees ook het eerste boek over Fleur!

Fleur heeft een dikke papa

Fleur woont in een hoge flat aan de rand van de stad.
Vanuit haar raam kan ze de hele wereld zien! Maar
binnen gebeurt ook erg veel. Zo liggen er 's nachts soms
honden onder haar bed. Of het is midden in de zomer
opeens Kerstmis. Want Fleur heeft heel veel fantasie...
Ze is een blij kind. Met een lieve, lieve mama. En natuurlijk... een dikke papa. Die heel gezellig is maar soms een
beetje lui. Dat heeft Fleur heel goed door!

Fleur is een gewoon meisje, net als alle andere meisjes.
En toch heel bijzonder – net als alle andere meisjes!